アルフレッド・アドラー
人生に革命が起きる100の言葉

Hiroshi Ogura
小倉 広

ダイヤモンド社

アルフレッド・アドラー

人生に革命が起きる100の言葉

「私はアドラーの本を最初から最後まで三回ほど読みました。
火曜の朝、私は椅子から立ち上がりました。
世界は違っていました……。
アドラーは私に教えてくれました。
『世界は信じがたいほどシンプルだ』と」

精神科医 リディア・ジッハー

まえがき

自己啓発の父・アドラーはなぜ無名なのか？

オーストリアのウィーン郊外で生まれたアルフレッド・アドラー（1870年～1937年）ほど、現代の心理学に多大な貢献を残しながらも、無名である巨人は他にいないでしょう。私たちは心理学の知識を持っていなくても、ジークムント・フロイト（1856年～1939年）やカール・グスタフ・ユング（1875年～1961年）の名前を知っています。しかし、二人と並び称されるアドラーについてだけは、ほとんどの人がその名前を聞いたことがないのではないでしょうか。

アドラーは「自己啓発の父」と呼ばれています。いまやビジネス書の古典であり定番とも言える、デール・カーネギーの『人を動かす』『道は開ける』（創元社）やスティーブン・R・コヴィーの『7つの習慣』（キングベアー出版）を読むと、その理論の多くにアドラー心理学（Individual Psychology）と非常に近い考え方を見て取ることができるでしょう。また、コミュニケーションの技術として広く知られているコーチングやNLPの多くにも、アドラー心理学の影響が見られます。

また、経営コンサルタントの大前研一氏は週刊ダイヤモンド（2008年11月8日号）の特集「使える心理学」のコラムの中で、フロイトと対比されたアドラーの理論をポジティブ思考の側面から捉えて以下のようなコメントを残しています。

「じつは私も典型的なアドラー派である。どのくらいアドラー派かというと、人生で『私にはできない』と思ったことはない」

アドラー心理学は「人間性心理学の源流」とも呼ばれています。アドラーに影響を受けた心理学者は数知れません。著名なところではアブラハム・マズロー、ヴィクトール・フランクル、カール・ロジャーズ、アルバート・エリス、アーロン・ベック、エリック・バーン、エーリッヒ・フロム、ウイリアム・グラッサーなどが挙げられるでしょう。

これほどの大きな影響を残しているにもかかわらず、その源流であるアドラーの名前はあまり知られていません。カナダの精神科医アンリ・エレンベルガーは著書『無意識の発見』（弘文堂）の中で次のような言葉を残しています。

「アードラーの業績が皆によって黙殺され、彼の生み出したものがことごとく、組織的に彼以外の学者の業績にされてしまうという、なんとも訳のわからない現象がみられる」

「一言の断りもないままに各方面からこれほどまでに多くのものを剽窃《ひょうせつ》された人は、アルフレート・アードラーをおいて他にあまり例を見ないのではないだろうか。彼の学説は、フランス語のイディオムを用いれば「共同採石場」（une carrièr publique）みたいなもので、だれもがみな平気でそこからなにかを掘り出してくることができる。他からの引用部分ならその出典をことこまかに明示するような人でも、その出典がアードラー心理学（個人心理学）である場合にかぎってはそうしようという気を起こさないのである。」

アドラー自身も自分の理論を他者が利用することに寛大で、関心がなかったようです。

アドラーは言います。

「私の名前を誰も思い出さなくなる時がくるかもしれない。アドラー派が存在したことすら忘れられてしまうかもしれない。それでもかまわない。心理学の分野で働くすべての人が、私たちと共に学んだかのように、行動することになるだろうから」。

他にも、アドラーがその功績に比べて無名である理由はさまざまです。

- 論文や著作を残すことが少なく、理論が体系化される前に亡くなってしまった
- フロイトらと異なり、学派の弟子たちを強固に組織化しなかった
- ナチスドイツのユダヤ人迫害により、アドラー派の多くの人々が殺されてしまった

などです。

このように、無名ながらも多大な功績を残し「時代に一世紀先駆けている」と言われたアドラー心理学を、ここにご紹介できることを光栄に思います。

本書は、学術書や心理学の入門書とは異なる平易な言葉使いやシンプルな意味解釈により、アドラーおよび、その弟子、孫弟子たちの言葉を「超訳」したものです。心理学や学術書に

対して敷居の高さを感じていた方に一人でも多く読んでいただきたいと思います。

本書の言葉はどれもシンプルで明快です。であるがゆえに「あたりまえ」に聞こえるかもしれません。しかし、その「あたりまえ」こそが真実であり、答えなのです。


こんなエピソードがあります。

アドラーの講演を聞いた聴衆が言いました。

「今日の話はみんな、あたりまえの話(コモンセンス)ではないか?」

アドラーは答えました。

「それで、コモンセンスのどこがいけないのか?」

2014年2月

小倉 広

contents

幸せになる唯一の方法は
他者への貢献

――共同体感覚について

66-80

困難を克服する勇気を持て

――勇気について

81-96

他人の課題を
背負ってはいけない

――課題の分離について

97-100

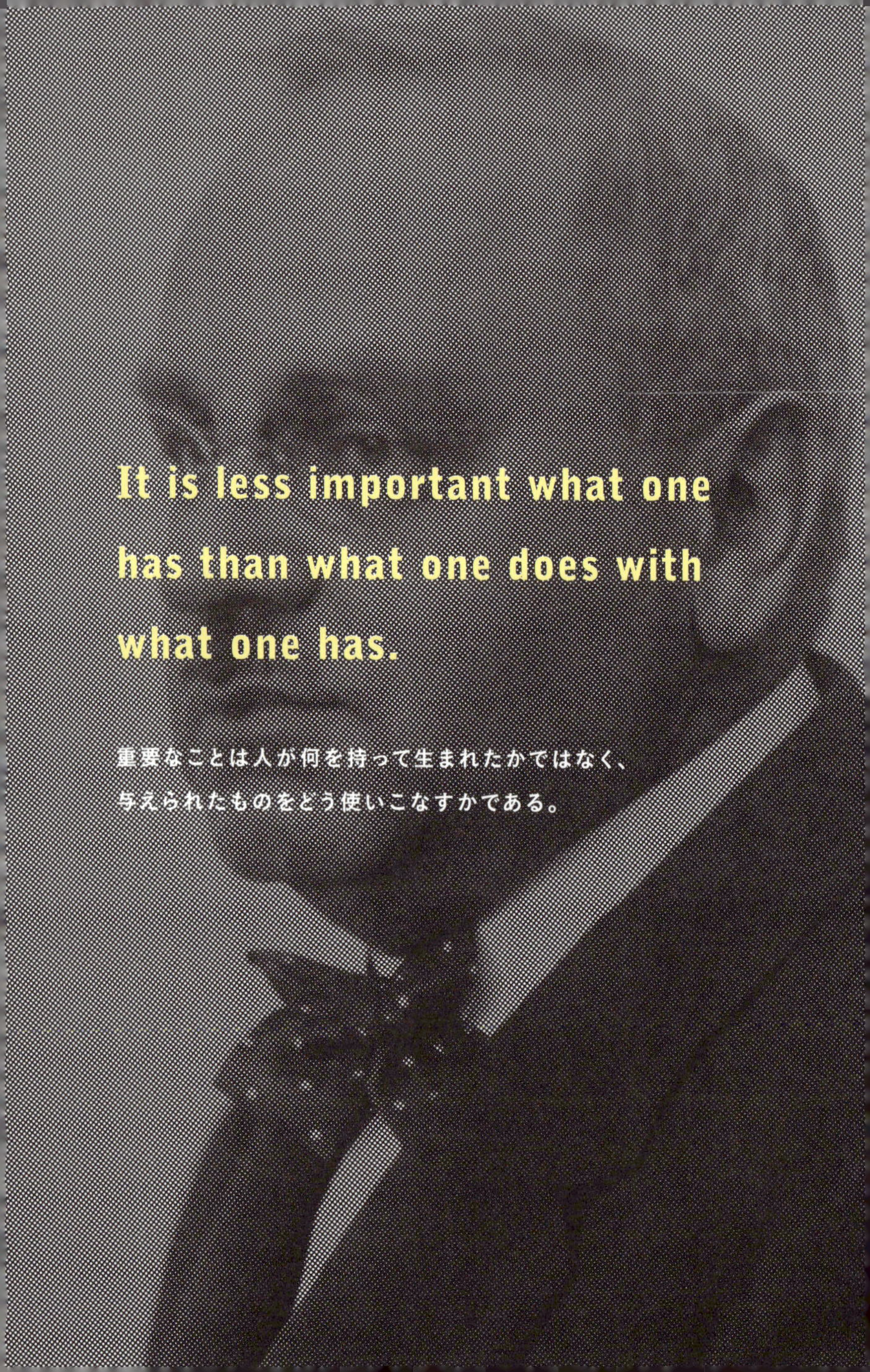
It is less important what one has than what one does with what one has.
重要なことは人が何を持って生まれたかではなく、
与えられたものをどう使いこなすかである。

すべてあなたが決めたこと

「自己決定性」に関するアドラーの言葉

人生が困難なのではない。
あなたが人生を困難にしているのだ。
人生は、きわめてシンプルである。

1

「人生が辛く、苦しい」のではありません。あなたが、自分の手でわざわざ「人生を辛く苦しいものにしている」のです。アドラーは、それをこのように例えました。

「高さが5フィート（約1・5メートル）しかない戸口を通り抜ける方法には2つある。一つはまっすぐ歩くことであり、二つ目は背中を曲げることです。最初の方法を試せば、横木にぶつかるだけです」と。つまり「人生が辛く、苦しい」と感じている人は、低い戸口に対してまっすぐ進み、頭をぶつけているだけのこと。事前に背中を曲げれば何も問題はないのです。しかし、多くの人は低い戸口が「原因」であり、自分は悪くない、と言います。そうではありません。腰を曲げない自分が悪いだけなのです。

では、どのように生きれば人生が辛く、苦しくなり、どのように生きれば、人生がシンプルになるのでしょうか。その答えを一行で言い表すことはさすがにできません。おそらくは、本書を読み進めることで、徐々にわかるようになるでしょう。現段階でお伝えできるのは、現在の人生を決めているのは「運命」や「過去」のトラウマではなく、自分自身の考え方である、ということです。だからこそ、私たちは、いつでも決意さえすれば、自分の人生をシンプルにすることができるのです。そろそろ、自分の頭を横木にぶつけるのをやめてはいかがでしょうか。「人生を困難にしている」のをやめればいいのです。

人間は自分の人生を描く画家である。
あなたを作ったのはあなた。
これからの人生を決めるのもあなた。

2

「運命」というと、あたかも自分には、いかんともしがたいもののように思われます。しかし、変えられないものは「宿命」であり、「運命」の「運」という字は「運ぶ」「動かす」という意味です。つまり「運命」は自分で「動かす」ことができるもの。これまで自分で「動かしてきた結果」なのです。

私たちのこれまでの人生は、遺伝や生育環境、生まれ育った地域や入社した会社など、多くの事柄に影響されてきたことでしょう。しかし、それを大きく上回る決定要因は私たち自身が下してきた数百万、数千万回の様々な決断です。その決断は誰かに強制されたものではなく、自分が、自分の意思で、下してきたものです。

今の会社を選んだのも自分。今の会社を辞めずに働き続けると決めたのも自分。今の配偶者を選んだのも自分。親の価値観を受け継いだとしているとしたら、受け継ぐと決めたのは自分。嫌ならばいつでも拒否する力と権利を私たちは持っています。嫌ならば会社を辞める権利。親の価値観にノーという権利。それを私たちは持っているのです。

これまでの人生を作ったのは自分。これからの人生を作るのも自分。そう考えると、人生はなんと素晴らしいものか、と思えてきます。「できないことはない。人はどんなことでもできる」。アドラーの力強い言葉です。

たとえ不治の病の床にあっても、
天を恨み泣き暮らすか、
周囲に感謝し余生を充実させるか、
それは自分で決めることができる。

3

「人はどんなことでもできる」「運命は自分で変えられる」。そうは言っても、できないことだってあるだろう？　あなたは思うかも知れません。

「何も悪いことをしていないのに家族が交通事故に巻きこまれ、重い障害が残ってしまった。それでも自分で変えられる、と言えるのか？」

「家族が末期がんで助かりません。それも自分で作った過去なのか。それでも未来は自分で決められるのか？」そう思う人も多いことでしょう。

おっしゃる通り、病気やケガをはじめとして、自分自身の力ではいかんともしがたい事柄はあるでしょう。しかし、それ自体を変えることはできなくても、それをどのような気持ちで受け取り、どのような意味づけをするか、は常に私たちの選択に委ねられています。

ピンクのレンズを通して見れば世界はピンク。しかし、ブルーのレンズを通して見れば世界はブルー一色です。有名な例えですが、コップに水が半分だけ入っているのを見て「たったの半分しかない！」と思うのか「半分も入っていてラッキー！」と思うかは人次第。現実を受け容れ、そこにポジティブな意味を見つけていく。それは誰にでもできることなのです。健全な人は万人が苦しいと思う場面でもそこから何かを学びます。そして感謝できることを見つけます。それが健全な生き方である、とアドラーは教えてくれています。

遺伝や育った環境は単なる「材料」でしかない。
その材料を使って
住みにくい家を建てるか、住みやすい家を建てるかは、
あなた自身が決めればいい。

4

アドラーは遺伝や生育環境の影響を１００％否定したわけではありません。もちろん、遺伝の影響はあるでしょう。そして、両親が子供時代に自分をどのように育てたのか？　甘やかしたのか？　放置したのか？　などは、私たちの性格形成に影響を与えたのは間違いありません。

しかし、その影響は限定的であり、すべてではありません。母親にガミガミと叱られたから引っ込み思案になったのではありません。引っ込み思案になる、という方法を自分で選んだだけなのです。引っ込み思案になる以外の方法はいくらでもあるでしょう。例えば、母と論争することで自立心の強い性格になることもできたかもしれません。母とは違う冷静でクールな分析眼を持つこともできたかもしれません。母を反面教師として優しく見守るタイプになることもできたでしょう。

アドラーは遺伝や生育環境を家の建築材料に例えました。同じ材料（遺伝や環境）を使ったからといって同じ家（人生）が建つとは限りません。ある人は南国の別荘風の家を建てるでしょう。ある人は機能的なビルを建てるかもしれません。材料はあくまでも材料でしかありません。それをどのように使うか、という自由を私たちは持っているのです。今のあなたの人生は、あなたが材料を使って自分で建てた「あなた自身の家」なのです。

「親が悪いから」

「パートナーが悪いから」

「時代が悪いから」

「こういう運命だから」

責任転嫁の典型的な言い訳である。

5

言い訳をして責任転嫁をすると、その一瞬は気持ちがラクになります。親が悪い、上司が悪い、部下が悪い、配偶者が悪い、社会が悪い。だから、自分は悪くない。心がスッと晴れることでしょう。しかし、それは一瞬のことでしかありません。

自分の不幸な境遇を運命のせいにして嘆いていても何ら事態は好転しません。自らアクションを起こすことでしか運命は好転しないからです。世の中の政治が悪いから、と嘆いても何も世の中は変わらないでしょう。本当に政治を変えたいのであれば、自らが政治家になるなど、それ相応の大きな努力が必要です。遺伝や親の育て方を恨んでも、何一つ変わらないでしょう。過去を受け入れ、前提条件とみなしていくしかありません。理解のない配偶者や上司に責任転嫁しても問題は解決しません。責任転嫁をされた相手は余計に反発してあなたに辛く当たるでしょう。人は過去と他人を変えることはできません。自分自身の考え方や行動を変えることでしか、未来を変えることはできません。そして、人は誰もが自らを変える力を持っている。つまりは、未来を変える力を持っているのです。

ですから、いつまでも目の前の課題から逃げ続けるわけにはいきません。必ずどこかのタイミングで自分ごととして向き合う必要があるでしょう。虫歯が痛い時に、痛み止めを使っても虫歯は治りません。正面から向き合って根本治療をしなければならないのです。

人は過去に縛られているわけではない。
あなたの描く未来があなたを規定しているのだ。
過去の原因は「解説」にはなっても
「解決」にはならないだろう。

6

1870年にオーストリアのウイーン郊外で生まれたアドラーは、同時代を生きたジークムント・フロイトやグスタフ・ユングらと並び称される心理学の巨人です。しかし、アドラーが心理学者として論文を発表し始めた当初、心理学会で大きな力を持っていたのはフロイトの理論でした。フロイトは、人間は過去に蓄積された「性的な力」（リビドー）に突き動かされるのだ、と提唱しました。つまり、人は過去により規定され、自分で未来の自分自身をコントロールすることはできない、と言ったのです。

これに真っ向から反論を唱えたのがアドラーです。アドラーは遺伝や育て方などの「原因」により行動が規定されるのではない、と考えました。そして、人は未来への「目的」により行動を自分で決めているのだ。だから、自分の意思でいつでも自分を変えることができる、と「目的論」と「自己決定性」を唱えました。その考え方は現代心理学の常識になり、フロイトの「原因論」は過去の遺物になっているのです。ところが、私たちの日常生活では、いまだに過去の遺物である「原因論」が幅を利かせています。しかし、原因は「解説」にはなりますが、何の「解決」にもなりません。過去を変えることはできないからです。そうではなく自分の意思で未来の「目的」を変え、行動を選び直せばいいのです。アドラー心理学で考えれば、いくらでも問題の「解決」は可能なのです。

敗北を避けるために、時に人は自ら病気になる。

「病気でなければできたのに……」

そう言い訳して安全地帯へ逃げ込み、ラクをするのだ。

7

私の友人は会社で常に良い成績をあげていました。そして周囲よりも早く管理職に昇進し部下を持つこととなりました。しかし、名選手必ずしも名監督ならず。自分流のやり方を押しつけた結果、彼は部下から総スカンを食ってしまいます。やがてそれは周知のこととなります。彼は会社へ行くのが恐くなってしまいました。気がつけばうつ病にかかっていました。こうして、彼は会社へ行かなくても済む「免罪符」を手に入れたのです。

ある若手女優が初めての主演舞台の準備中に体の震えが止まらなくなり、練習ができず舞台が中止に追い込まれる、ということがありました。本人は頑張ろうとしたらしいのですが、立ち上がることすらできないほどの虚脱感があった、ということです。

「人は人生の敗北を避けるために、あらゆるものを利用する」とアドラーは言いました。時に人は自分でも気づかないうちに病気を作り出すことがある、というのです。病気になれば会社や学校へ行かなくても済む。人前で無様な姿をさらさなくても済む。そう思うと、「頭痛」「腹痛」「発熱」「吐き気」「パニック」などの症状を無意識のうちに作り出すことがある。これを心理学では「疾病利得」といいます。

病気になるのは辛いことです。しかし、衆目の下で自らの敗北をさらされることに比べればなんということはありません。負け戦に挑むくらいならば病気の方がましだからです。

健全な人は、相手を変えようとせず自分が変わる。
不健全な人は、相手を操作し、変えようとする。

8

解説者の私が座右の銘としている言葉があります。「過去と他人は変えられない。しかし、今ここから始まる未来と自分は変えられる」。アドラーを源流とする人間性心理学に属するエリック・バーンの言葉です。私はこの言葉のお陰で人生が変わりました。

この考え方を活かす上で大切なのは「本当はどちらが悪いのか?」という「原因」を追及することはムダだ、ということです。仕事や家庭において裁判官は不要です。「どちらが悪かったのか」に時間や労力を注ぎ込むくらいならば、その分のエネルギーを未来の解決に費やす方がはるかに生産的です。ですから、実際には上司や部下、配偶者などに非があったとしても「今、自分にできること」だけを見ればいい。もしも相手に気づいてほしいことがあるならば、気づかない相手を責めるのではなく、自分の伝え方を変えるのです。自分の言葉が説得力を持つように、相手から信頼される努力をすべきなのです。

健全な人は、たとえ100%他人が悪い、と思えるような状況でも、「今、自分にできること」だけを見てエネルギーを注ぎ込みます。不健全な人は過去を愚痴り、他人の悪口を言い、自分が被害者だと訴えて同情を求め、自らは何も行動を起こしません。どちらの人生が幸福になるか。言わずもがなではないでしょうか。

「やる気がなくなった」のではない。
「やる気をなくす」という決断を自分でしただけだ。
「変われない」のではない。
「変わらない」という決断を自分でしているだけだ。

9

刺激（Stimulus）反応（Response）モデルという考え方があります。「叱られた」という刺激に対して「腹が立つ」という反応（感情、思考、行動）がある、という単純な考え方です。しかし、現代心理学ではこのような考え方を否定します。刺激と反応の間に「認知」という主観がある。それがアドラーを源流とする現代心理学の考え方です。この「認知」が、先にあげたピンクもしくはブルーのレンズです。ピンクの認知を通して見れば世界はピンク。ブルーの認知を通して見れば世界はブルーになる、というわけです。

叱られた時にそれをどのように「認知」し「意味づける」かは、人それぞれです。腹が立つ、という人もいれば、悲しみ落ち込む、という人もいるでしょう。しかし、一方で「なにくそ！」と発憤する人もいれば、叱ってもらってありがたい、と感謝する人もいるでしょう。人は「認知」や「意味づけ」を変えることで、いかようにでも反応すなわち、思考、行動、感情を変えることができるのです。

「叱られたから腹が立ち、やる気がなくなった」のではありません。叱られた時に数多くある「認知」と「意味づけ」の中からあなたが自分の意思で怒りを選択し、勝手に自分でそれを言い訳にしてやる気をなくしたのです。上司のせいにしてはいけません。すべては自分の選択の結果であり、いくらでも選択を変えることは可能なのです。

遺伝もトラウマもあなたを支配してはいない。
どんな過去であれ、
未来は「今ここにいるあなた」が作るのだ。

10

ある殺人犯は「なぜ殺したのか?」と問われたときに「自分は親に捨てられたからだ」と答えました。親に捨てられ、まともな家庭に育たなかったから自分は殺人犯になったのだ。自分は悪くない、という理由です。しかし、親に捨てられた子供がすべて殺人犯になるわけではありません。中には、自分と同じような苦しみを次世代の孤児たちに味わわせたくない、と孤児の自立支援に奔走する人もいます。同じ環境に育っても、人は自分の意思で、違う未来を選択できるのです。

しかし、私たちはついつい、現在の問題を過去のせいにしてしまいがちです。

「子供の頃、お母さんが私をおいて働いてばかりいたから、私はこんなに暗い性格になってしまった。私は悪くない。お母さんのせいだ」

「家が裕福でなかったから大学に行けなかった。もしもっとお金に余裕があれば、今頃は大学を卒業してもっといい職業につけていたに違いない」

このように過去の環境のせいにしてしまうのです。しかし、それは単なる言い訳です。過去の体験をバネにして未来を切り開く道を選ぶのか、ふてくされて被害者のふりをして言い訳だらけの人生を過ごすのか。それを決めるのは自分です。自分次第でいかようにでも進む道を決めることができるのです。

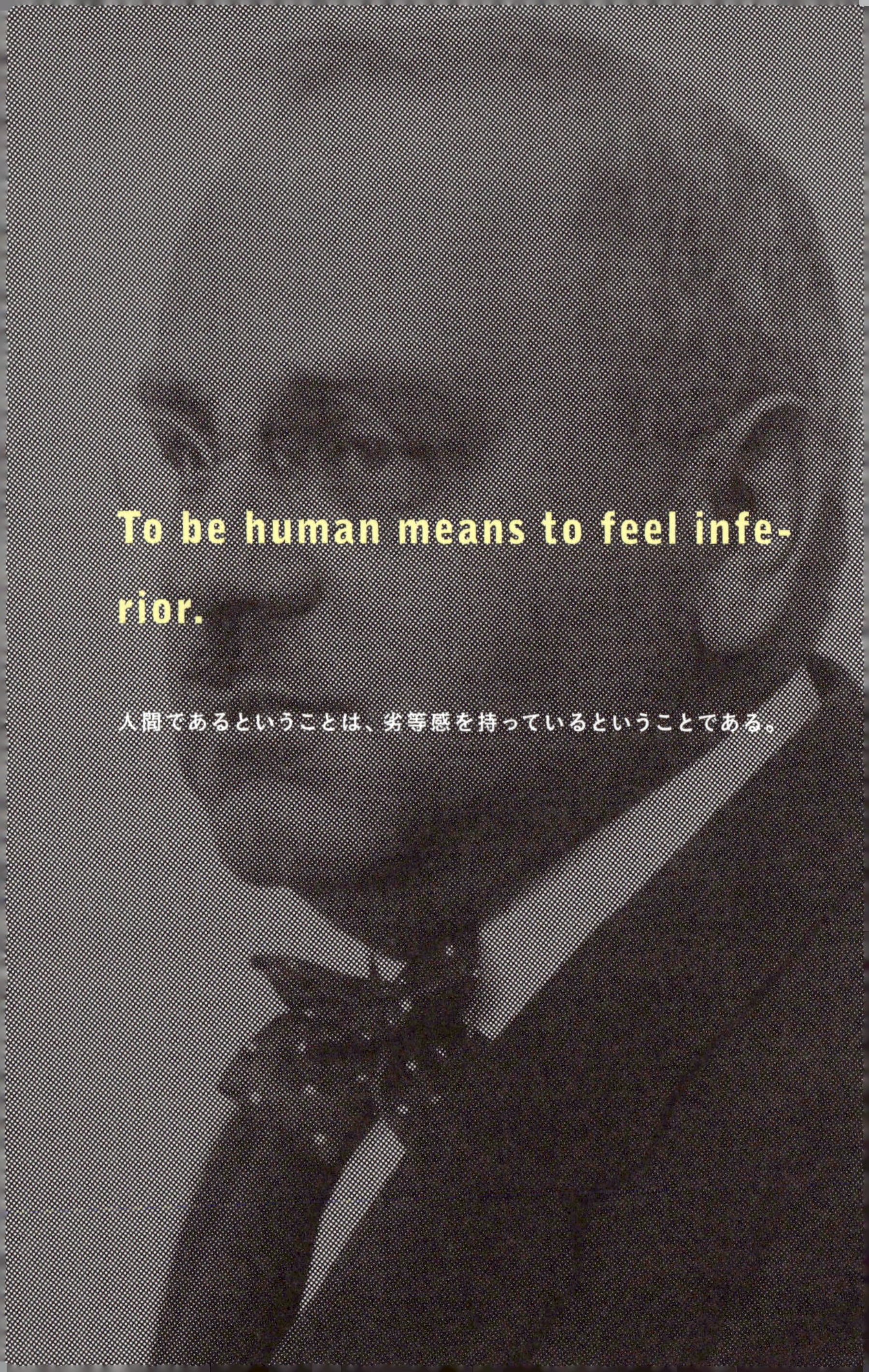

To be human means to feel inferior.

人間であるということは、劣等感を持っているということである。

そのままの自分を認めよ

「劣等感」に関するアドラーの言葉

あなたが劣っているから劣等感があるのではない。
どんなに優秀に見える人にも劣等感は存在する。
目標がある限り、劣等感があるのは当然なのだ。

11

頭が良くて、見た目も良く、明るい人が、実は「私は、なんてダメなんだ……」という強い劣等感に悩まされている――。このようなことはよくあることです。

人は誰もが劣等感を持っています。なぜなら、人は自分では意識しないままに「こんな人になりたい。こんな人生を歩みたい」という目標を持っているからです。そして目標は常に現状よりも高く掲げられる。たとえ周りから見て順風満帆で、もうこれ以上望むことなどないように見える人であっても、さらなる高い目標を持っているもの。つまり、いつまで経っても永遠に目標は未達成。だからこそ、そこに劣等感が生まれるのです。

また、人は子供のときに親や兄、姉と自分を比べることでも劣等感を抱きます。

「大人はあんなにやすやすといろいろなことをできるのに、自分は何もできない……」

そうやって子供の頃に大人に対して抱いた劣等感は、心に刻まれます。「自分は無力な存在だ」「どうせ頑張っても追いつけない……」。そして、その劣等感は自分自身が大人になってからも、引き続き残ってしまうのです。

このように、劣等感は「人よりも大きく劣っている人特有」のものではありません。周囲からは完璧に見える人、優れて見える人も、皆等しく持っている「主観的」なもの。それが劣等感なのです。あなただけが持っているのではないのです。

劣等感を抱くこと自体は不健全ではない。
劣等感をどう扱うかが問われているのだ。

12

アドラーは「劣等性」と「劣等感」と「劣等コンプレックス」の３つを明確に区別して使いました。「劣等性」とは、目がよく見えない、背が低い、胃腸が弱いなどの具体的事実として劣った性質をいいます。「劣等感」とは、自分が劣っていると「主観的に思う」ことです。つまり具体的に「劣等性」があったとしても、それを劣っていると思えば「劣等感」になるし、思わなければ「劣等感」にならない、ということです。あくまでも「劣等感」は主観的なものです。ですから、誰が見ても痩せているのに、本人が「自分は太っている」と思えば、それは十分に「劣等感」になるのです。

「劣等コンプレックス」は一般的に先の「劣等感」と混同されて使われていますが、アドラーは明確に区分しています。「劣等コンプレックス」とは「劣等感」を言い訳にして、人生の課題から逃げ出すことを指します。つまり、劣等感をバネにして「なにくそ」と頑張る人は、「劣等感」は持っているものの「劣等コンプレックス」を持っていないのです。

「親の遺伝のせいで勉強ができない」「家が裕福でなかったから暗い性格になった」など と、現在の問題を人のせいにして、努力を放棄し、課題から逃げること。それが「劣等コンプレックス」です。不健全なのは「劣等感」ではありません。「劣等コンプレックス」なのです。さて、あなたが持っているのはどちらでしょうか？

劣等感を言い訳にして人生から逃げ出す弱虫は多い。
しかし、劣等感をバネに
偉業を成し遂げた者も数知れない。

13

人は劣等感から逃げずに立ち向かい、人並み以上の偉業を成し遂げることができます。作曲家のベートーベンは耳が聞こえませんでした。画家のマネは目がよく見えませんでした。障害は肉体的なものだけではありません。家が貧乏で学校へ行かせてもらえなかったにもかかわらず偉業を成し遂げた人も数知れません。二宮尊徳は、ろうそくの灯で勉強していたところ「農民に学問は不要だ、火を使うな」と叱られ、自分で菜種を育て、菜種油の火で本を読みました。そして、畑仕事をしながら学問に励み、歴史に名を残しました。

人よりも劣った遺伝や環境は、確かにマイナスでしょう。しかし、それだけでは「できない理由」にはなりません。その環境をバネにして発憤し、人並み以上の努力をすることは十分に可能なのです。アドラーはこれを「補償」と呼びました。劣等感をバネにした補償があったからこそ偉業がなし遂げられた、と言っても過言ではないのです。

しかし、あなたはこう言い逃れをするかもしれません。「ベートーベンや二宮尊徳は特別な天才だ。自分は普通の凡人だから……」。それこそが言い訳なのです。「勉強部屋がなかったから」「親の学歴が低いから」「体が弱かったから」などと、遺伝や生育環境を言い訳にしてはいけません。あなたができない本当の理由は、環境を言い訳にして「努力から逃げている」ことにあります。決して環境が原因ではないのです。

人は正しいことをして注目されないと
時に「負の注目」を集めようとする。
人生をみじめにするような努力はやめるべきだ。

14

勉強をして優秀な成績を取ること。グレて非行に走ること。この二つは正反対な生き方のように見えて、実は同じ目標を追いかけた生き方だ、とアドラーは考えました。二つの努力の目標は、親や周囲から注目を集めたい、という意味で完全に一致するからです。

子供は誰もが全力を傾けて親に認められようとします。アドラーはこれを「優越を求める努力」と呼びました。しかし、頑張っても勉強で一番になれない、と思った時、子供は戦略を転換します。だったら運動で一番になろう。それでもダメならば、今度は音楽や絵画などの芸術で。それでもダメならば……。最後は非行や犯罪で注目を集めようとするのです。

人は「ほめられる」という「正の注目」を得られないとわかると、「叱られる」という「負の注目」を集めようとします。マザー・テレサは「愛情の反対は無関心だ」と言いました。無視されるくらいならば、叱られた方がいい。子供はそのように思うのです。

そして、その人生への態度がそのまま大人になっても残る場合がある。大人でさえも、「正の注目」を得られなければ、「負の注目」を得ようとしてしまうのです。

しかし、その考え方では人生はうまくいきません。幸せになることはできないのです。ですから「負の注目」を得るのではなく、たとえ小さくても「正の注目」を集める努力をしなくてはいけません。人生をみじめにする方向への努力をやめなければならないのです。

強がりはコンプレックスの裏返し。
「強く見せる」努力はやめて、
「強くなる」努力をすることだ。

15

劣等コンプレックスとは、劣等感を言い訳にして、人生の課題から逃げ出すことを言います。しかし、その際に、自分が劣等感を感じていることを正直に表明するとは限りません。いやむしろ「そんなことはない。自分はむしろ人よりも優れている」と優越をアピールする人の方が多いことでしょう。これこそが「優越コンプレックス」であり、それは形を変えた「劣等コンプレックス」の一種なのです。本当に自信がある人はそれを誇示する必要がありません。優越のアピールは劣等感の裏返しなのです。

優越コンプレックスを持っている人は、自分が本当に強く「なる」ための努力をしません。そうではなく強く「見える」ように努力をするのです。そして、以下のような行動を頻繁に行います。外見を着飾る、女性なのに男性のように振る舞う、自慢する、人をバカにしたような態度を取る、弱い人に対して威張る、外では静かなのに家に居るときにだけ横暴に振る舞う、病気や体調を理由にして家族を意のままに操る、他の人の価値を下げるよう批判する、大声や大きな身振りで話す、霊感などの特殊能力を強調する、会話を自分に向けようとする、人の話を聞き流す……など。これらの行動は「強い」からするのではありません。強く「見える」ことに努力を傾けている。そして、その背後には強い劣等感が隠されているのです。

世話好きな人は、単に優しい人なのではない。
相手を自分に依存させ、
自分が重要な人物であることを実感したいのだ。

16

「自分は重要な人間である」。劣等感を隠して自らの優越をアピールするために、相手を見下したり、非難して、自分の価値を高めるのはよくあることです。しかし、そのように単純な戦略ではなく、人はもっと複雑で高等な手法を選択することがあります。

皆さんの周りに世話焼きな人はいないでしょうか。「ペンを貸してあげようか?」「このハンカチを使ってね」「そろそろご飯食べた方がいいんじゃない?」。このような世話焼きは単なる優しさではありません。世話を焼くことで相手を自分に依存させるのです。「私がいなくては、相手は何もできないんです」。そう言って、自分が重要な人物であることを証明しようとしているのだ、とアドラーは指摘します。

さらなる高等戦略として、自分を責め、自分を傷つける、という方法もあります。例えば自分で体を傷つけたり、「自分なんて生きていてもしょうがない」と自己否定をする。これらは、一見すると自分を責めているように見えますが、実際はその逆なのです。自分を責め、傷つけることで、家族や周囲の人間を責めているのです。「私はあなたたちのせいでこんなに苦しんでいる」「なのにあなたたちは何もしてくれない」。そうアピールしているのです。そして周囲からの謝罪や同情を手にする。そのために自分を非難しているのです。人はありとあらゆる手を使い、自分が重要な人物であることを証明しようと試みるのです。

人は注目されないと、
悪さをしてでも注目を集めようとする。
それに失敗すると、
今度は自分の無能さを見せつけるようになる。

17

親にかまってほしい子供は、親が他の子供に話しかけるのをやめさせようとしたり、自分が眠るまでそばにいることを要求したりします。⇩ゴール１「注目を集める」それがうまくいかない場合、子供はかんしゃくを起こしたり、食事を拒んだりといったあらゆるトリックを用いて、力ずくで注目を集めようとします。⇩ゴール２「力を示す」それを大人がさらに強い力で封じ込めた場合、子供は傷つけられたと感じ親に復讐しようと試みます。問題行動を起こすことでわざと親に不快感を与えるのです。⇩ゴール３「復讐」やがて、子供はあきらめて努力をしなくなります。そして、自分は無能である、欠陥がある、と大人に見せつけて、人生の様々な課題から逃れようとします。⇩ゴール４「回避」

以上は、アドラー心理学を体系化したルドルフ・ドライカースが提唱した「不適切な行動の４つの目標」です。この４つの目標は、何も子供に限ったことではありません。大人になってからも、親子や夫婦、上司・部下、友人の間でも繰り返されるのです。例えば、仕事ばかりで家庭を顧みない主人に対して、妻は最初のうち、ストレートに「家に帰ってきてよ」と要望し、それがかなわないと主人に対して怒りをぶつけたり、泣いたりします。それでもダメだと、妻は主人に復讐を試み、自分も遊び歩いたりして家事を放棄します。そして最後にはあきらめて、自分の弱さや落ち込みや病気を夫にひけらかすのです。

「みんなが私を嫌っている」
「今回ダメだったから次もダメだ」という思い込みは
冷静に立証を試みれば消えていく。

18

人は誰しも劣等感を持っています。しかし、過度な劣等感は健全ではなく、克服する必要があります。では、過度な劣等感とはどのようなものなのでしょうか。アドラーは過度な劣等感につながる、自虐的で自らの成長を阻む間違った思考のことをベーシック・ミステイク（基本的な誤り）と呼びました。

「今回ダメだったから次もダメに違いない」「クラスのみんなが私を嫌っている」「友だちが笑っているのは、私をバカにしているに違いない」など。これらは明らかに行き過ぎた思い込みであり不健全です。今回ダメだったからといって、次回もダメな確率は100％ではありません。冷静に考え直してみれば失敗の確率は五分五分かもしれません。クラスの全員が自分を嫌っている、ということは、ほとんどありえません。冷静に自分を嫌っている人の名前をあげていけば、実は、それがたかだか5～6人であることに気づくでしょう。

ベーシック・ミステイクを克服するためにはこのように、一つひとつの思い込みに対して冷静に証拠をあげたり、数字で確かめることが有効です。そうすれば、それが過度な思い込みであることに気づくはずです。それを積み重ね、繰り返すことにより、自分の思い込みのクセに気づくことでしょう。そして少しずつ、過度な劣等感が克服されていくでしょう。

できない自分を責めている限り、
永遠に幸せにはなれないだろう。
今の自分を認める勇気を持つ者だけが、
本当に強い人間になれるのだ。

19

劣等感を克服するためには過度な思い込み＝ベーシック・ミステイクを改める必要があると言いました。しかし、それだけで劣等感を克服することはできません。では、どのように考えれば劣等感を克服できるようになるのでしょうか。そのためには、自分のダメなところをなくすのではなく、ダメな自分をそのまま受け容れることが必要です。つまり、完全であろう、とするのではなく、不完全なままの自分を受け容れるのです。

アドラーの高弟ルドルフ・ドライカースは、アドラーの思想をもとにこのような言葉を残しました。人は「不完全さを認める勇気を持つ」ことが必要である、と。完全であろうとするから苦しくなる。なぜならば完全な人間など、この世に一人も存在しないからです。ダメなところがあり、できていないところだらけの、そのままの自分を認め好きになるのです。「ありのままの自分を受け容れる」ことを心理学用語では「自己受容」と言います。「不完全さを認める勇気を持つ」。それこそが自己受容をするために最も必要なことではないでしょうか。

ONLY IF（もしも欠点を克服したら）I'm OK なのではなく、EVEN IF（欠点があってもなお）I'm OK とする勇気。それこそが「不完全さを認める勇気」です。その勇気を持つ人だけが本当に強い人間であり、幸せになれるのです。

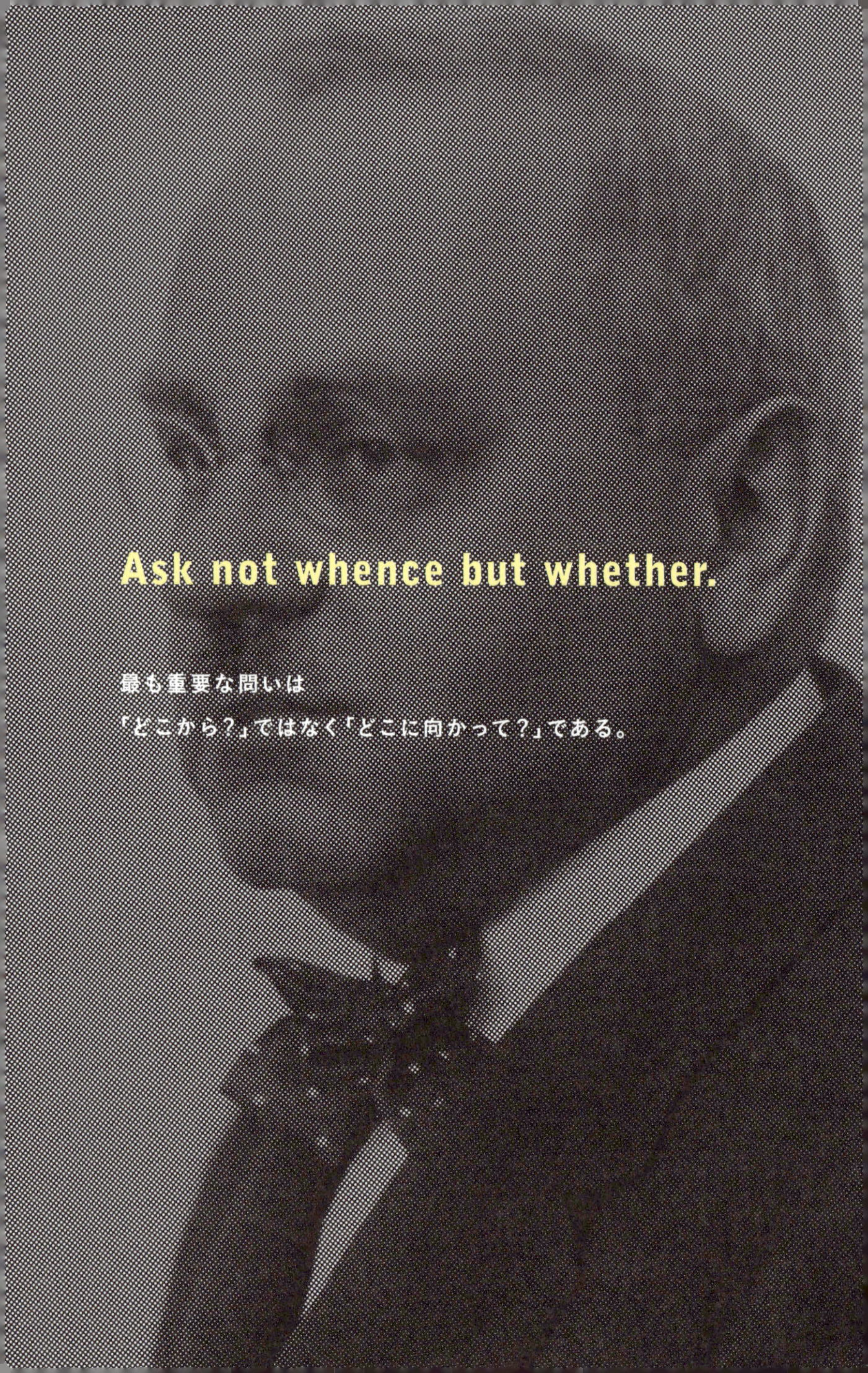
Ask not whence but whether.
最も重要な問いは
「どこから?」ではなく「どこに向かって?」である。

感情には隠された目的がある

「感情」に関するアドラーの言葉

悲しいから涙を流すのではない。
相手を責め、同情や注目を引くために泣いているのだ。

20

アドラーは「すべての行動には（本人も無自覚な）目的がある」と言いました。これをアドラー心理学では「目的論」と呼びます。そして、「感情が人を突き動かす」のではなく、人は目的のために「感情を使用する」と言いました。これを「使用の心理学」といいます。

人が涙を流す時、そこには目的があります。それは悲しみを表明するだけの時もあるでしょう。しかし、それ以上の目的がある場合があります。それは涙により同情を集めたり、注目を得たりしよう、という隠された野心です。また、時に涙は相手や周囲の人間に対する抗議や復讐である場合もあります。「私をこんなにも泣かせるなんて。あなたはひどい人だ」そう訴えているのです。

さらには、このように相手を責めたり、同情を集めることで満足せず、その上で相手を意のままに操り、自分にとって都合のいい状況を作り出そう、とする人もいます。上司が部下を叱ったら部下が突然泣き出してしまった。そのため、上司はきつく叱ることができず、おとがめもなくことが終わってしまった、ということは社会でよくあることです。その時、泣いた相手は心の底で目的をもって泣いていた、という可能性があるのです。

しかし、これら一連の複雑な情動は無自覚の中で行われることが多いので、本人でさえも意識していないことがあります。そして成功パターンとして繰り返し使われるのです。

カッときて自分を見失い怒鳴った、のではない。
相手を「支配」するために
「怒り」という感情を創り出して利用したのだ。

21

「思わずカッとなって自分を見失ってしまいました……」。よくあるセリフです。しかし、アドラーはそれを否定します。「あらゆる行動には目的がある」。アドラーが喝破した「目的論」および「使用の心理学」に沿って考えると、怒りという感情は、相手にいらだちを伝え、相手を支配する、という「目的」のために「使用」されていることがわかります。

一方でフロイトを中心としたアドラー以前の心理学では、「目的論」とは逆の「原因論」が主流でした。人は無意識下の「感情」により突き動かされる、という発想です。この場合、怒鳴ったのは無意識の怒りが「原因」であり本人は悪くない、という結論になります。アドラーの「目的論」や「使用の心理学」における結論とは180度逆になるわけです。

感情は主に2つの目的で使用されます。1つは相手を操作し支配するため。カッとなった表情や態度で相手を威嚇し、自分の言う通りに相手を操作し、支配するのです。

2つ目には、自分自身を突き動かすためです。人は感情を「使用」することで、自分自身の行動を促進します。つまり感情により「背中を押して」もらうわけです。人は理性だけで判断し行動するわけではありません。怒り、悲しみ、喜び、恐れなどが、「前に進む」「ストップする」などの行動に拍車をかけるわけです。このように感情は相手と自分を動かすために利用されるのです。

感情はクルマを動かすガソリンのようなもの。
感情に「支配」されるのではなく「利用」すればよい。

22

アドラーの高弟ルドルフ・ドライカースは、感情をガソリンのような燃料に例えました。人は冷静な判断だけではなかなか行動に移せません。感情を使うことで弾みをつけるのです。ですから、感情は行動を促進したり、やめることを促進するために使われます。

例えば、あなたがつきあっている異性に対して「結婚したいな」と思ったとしましょう。しかし、結婚には様々なリスクがつきまといます。そんな時、あなたの背中をぐっと押してくれるのが「感情」なのです。「好きだ」「一緒にいたい」といった感情がこれらの不安を吹き飛ばし、結婚を前に進めてくれるでしょう。「感情」がガソリンとなり、エンジンを一気に吹かせ、車を前に進めてくれるのです。

また、時に「感情」はブレーキの役割を果たすこともあります。「なんとなく嫌な感じがしてやめた」などはその好例です。アクセルを踏むか、ブレーキを踏むか。それは自分自身が決めています。その気持ちを後押しするために感情を創り出し「使用する」ことで、自分や他人を動かすのです。決して先に感情があり、感情に支配されたのではないのです。

感情に支配されるのではなく、うまく感情を利用すればいいのです。感情という心の声にじっと耳を傾けることで、一歩踏み出す、もしくは退くきっかけが見つかるかも知れません。どうすべきかは、自分の感情がすでによくわかっているのです。

不安だから、外出できないのではない。
外出したくないから、不安を作り出しているのだ。
「外出しない」という目的が先にあるのだ。

23

会社に行こうと電車に乗ると急激に不安が襲ってきて会社に行けない、という不安症があります。アドラーはその症状をこう喝破しました。

「不安だから外出できないのではない。外出したくないから不安を作り出しているのだ」

不安という原因により行動が規定されるのではなく、逆に目的が先にある。会社に行きたくない、という目的を実現するために、不安を作り出しているのだ、というのです。では、なぜ会社に行きたくないのでしょうか？　理由は人により様々です。会社で同僚に比べて成績が悪い場合、これ以上負けを認めたくない、と思うことが原因かもしれません。また、上司から厳しく叱責されるのが恐くて会社に行きたくないのかもしれません。どのような理由にせよ、目的が先にある。それがアドラーの考える「目的論」なのです。

赤面症も同じように考えることができます。赤面症だから彼ができないのではありません。彼を作ることが恐いので赤面症になっているのです。彼を作るためには、こちらから告白をしなくてはいけないかもしれません。その場合、振られてしまう、というリスクが伴います。それが恐いのです。また、つきあってみたら幸せな交際ではなく不幸になってしまうかもしれません。また、できた彼が友人の彼よりも劣って見えるかもしれません。このようなリスクに恐怖を感じると人は赤面症を作り出す。目的が先にあるのです。

子供は「感情」でしか大人を支配できない。
大人になってからも
感情を使って人を動かそうとするのは幼稚である。

24

生まれたばかりの赤ん坊は言葉を話すことができません。「おっぱいが欲しい」「おしめが濡れて気持ちが悪い」「淋しいから抱っこしてほしい」。それを伝える唯一の方法は「泣く」という感情表現だけなのです。ですから、赤ん坊は「泣く」という感情表現を通じてあらゆる望みを手に入れます。そして、それを繰り返すうちに、「感情を使用する」ことで必要なものを手に入れることができる、と「学習」するのです。

子供は1歳に満たないうちから性格形成を始めます。つまり、言葉を話す前から性格ができ始める。「泣いたり怒ったりすることを通じて、すべてを手に入れられる」。赤ん坊の頃からそれを「学習」した子供は、その成功パターンを「性格」として刻みつけます。そして、子供時代も、さらには大人になってからも、その「性格」を使い続けるのです。

もしも、あなたの周囲に感情的な人、すなわち、感情を頻繁に利用する人がいるとしたら、その人は子供時代の成功パターンを繰り返し利用しているのかもしれません。怒りで周囲を動かそう。涙で相手を思い通りに動かそう。そうしているのです。

しかし、感情だけがものごとを達成する唯一の方法ではありません。にもかかわらず、大人になってからも感情表現で人を動かそうとする人は、内面的に幼稚なままだ、といえるでしょう。

嫉妬でパートナーを動かそうとすれば
いずれ相手は去っていくだろう。
大人なら理性的に話し合うべきなのだ。

25

感情表現による目標達成は赤ん坊時代の名残でしかありません。決して大人が使う方法ではないのです。しかし、幼少期に感情で人を動かすことに味をしめた人が、大人になっても過去の成功パターンを繰り返す場合があります。たとえば、夫の関心を引きつけるために嫉妬という感情を使う妻がいます。しかし、この嫉妬があまりに繰り返し利用されると、夫がそれを嫌になり、結果として妻のもとを去ってしまうことになるでしょう。これはまさに、幼少期の成功パターンが大人になってからはうまくいかなかった例と言えます。

そうではなく、理性で相手を説得する方法こそが、大人の目標達成方法といえるでしょう。私たちは言葉を用いて理性的に話し合い、互いに利益がある結果を手にすることができます。相手の力を借りながら、自分も相手の力になる。力を合わせて協働することで、互いに目標を達成することができるのです。何も、泣いたり、わめいたり、嫉妬をして、感情でむりやり人を動かすことだけが唯一の方法ではないのです。

また私たちは、子供時代とは違い、自分自身で問題解決をし、目標を達成する能力を持っています。他人を動かさなくても、自分一人でもできることは数多くあります。自分自身の責任は自分で果たす。これが大人社会の基本的なルールです。「自分でやると失敗するかもしれないから、誰かにやってほしい」。そう思う人は社会の中で孤立することでしょう。

彼氏に対しては甘えた声で。
配達員に対してはキツい声で。
人は相手と状況に応じて行動を使い分ける。
あらゆる行動に目的があるからだ。

26

若い女性が電話で甘え声を出しています。「ええ？　本当？　嬉しい！　海に行きたいと思っていたの。やったぁ！　楽しみ！」おそらく、彼に対して甘えているのでしょう。そこへ、ピンポーンとチャイムが鳴りました。どうやら宅配便が届いたようです。ガチャ、と玄関の扉が開き、配達員が荷物を玄関に置きました。彼女は電話の向こうの彼氏に向かって「ちょっと待っててね」と優しく話した後、電話を保留にして、配達員にこう言いました。「なぁに？　荷物？　え？　ハンコ？　早くしてよ！　急いでるんだから！」。追い出すように配達員を見送ると、電話の保留を解除して、再び別人のような猫なで声でこう言いました。「ごめんね。待った？　早く話したかった……」

彼女は決して特殊ではありません。なぜならば、あらゆる人の行動には「相手」があり、そしてその相手に対してどのように思われたいか、という「目的」があるからです。彼女は、彼氏という「相手」に対して、かわいい女の子と思われたい、という「目的」があって猫なで声を出しています。そして、配達員という「相手」に対しては、荷物の受け取りをとっとと終わらせたい、という「目的」を持って厳しい言葉で対応したのです。あらゆる行動には「相手」と「目的」があります。それを推測しながら観察すると相手の気持ちが見えてきます。「相手」は誰で「目的」は何か？　興味深い結果が見えてくることでしょう。

意識と無意識、理性と感情が葛藤する、
というのは嘘である。
「わかっているけどできません」とは、
単に「やりたくない」だけなのだ。

フロイトを中心とする古い心理学では意識と無意識を明確に区別しました。そして、意識と無意識が矛盾し葛藤することで様々な神経症的症状が現れると考えました。しかし、アドラーは、その考え方を否定しています。意識と無意識は矛盾しているように見える場合でさえも、同じ一つの目的に向かって統一的に相互に補うように働いている、と言いました。それはあたかも、アクセルとブレーキのような関係です。一見、矛盾するように見えながら、一つの車として同じ目的地へ向かうために、どちらも必要な働きとして助け合っているのです。アドラーはこれを分割できない統一体という意味で「全体論」と呼びました。

アドラーの高弟であるルドルフ・ドライカースは『アドラー心理学の基礎』の中で次のような例えを使ってこの「全体論」を説明しています。

ある旅人が旅の途中でとても親切な人に会った。その人は二人組で旅をしていた。親切な人だったので気を許していたら、二人組のもう一人に財布を盗まれてしまった。しかし、この二人は実はぐるだった。共に示し合わせて、財布を盗もうと最初から計画していたのである……。この二人組がすなわち、意識と無意識であり、二つはアクセルとブレーキの役割を果たし、同じ目的、すなわち「盗み」に向かっていた、というわけです。同じように理性と感情も矛盾しません。それらは一つです。それが「全体論」なのです。

「無意識にやってしまった……」
「理性が欲望に負けて……」とは、
自分や相手を欺くためめの「言い訳」でしかない。

28

「意識と無意識」「理性と感情」などのように、対立する要素に分ける考え方をアドラーは明確に否定しました。これらは一つであり、一見矛盾するように見えたとしても、それは同じ目標達成に向けて相互に補い合っているだけである、と言ったのです。

例えば、ダイエットをすると決めていた人が、ついポテトチップスを食べてしまったとします。そして「無意識のうちに食べていた……」「欲望に負けて食べてしまった……」などと言うことがよくあります。しかし、それは言い訳でしかありません。実際のところは、自分の意思で判断し、食べることを「善」（メリットのあること）として選んだのです。

「今回だけ食べても大勢に影響はないだろう。であれば、食べてしまえ」「体重が減ることよりも、今、目の前にあるおいしそうなポテトチップスを食べる方が大切だ」。これらの思考により、トータルで「食べる」という選択肢を選んだだけなのです。

では、なぜ私たちは「意識と無意識」や「理性と感情」をわざわざ引き合いに出すのでしょうか？　アドラーは、それこそが自分や他者に対する言い訳である、と言いました。「責任を取りたくない」「敗北を認めたくない」「良心の呵責」を包み隠すために、「自分は悪くない。無意識と欲望が悪いのだ」と言い訳し、自分と他者を欺きたいだけなのです。

怒りなどの感情を
コントロールしようとするのは無駄である。
感情は「排泄物」なのだ。
「排泄物」を操作しても何も変わらないだろう。

29

私たちは日々、怒りや悲しみなどの感情に支配されているように感じています。そのため、「怒りをコントロールする方法」などの書籍が注目を集めています。しかし、アドラーは感情をコントロールすることを否定しています。アドラーによれば感情はライフスタイル（=性格）による「排泄物」でしかありません。その排泄物を操作しても結果は何も変わらない。ライフスタイルを変えることで、おのずと感情も変わると言ったのです。

ライフスタイルとは、ものごとの捉え方・認知の中核を為す基本的信念です。私たちは、相手の言動や世の中のできごとという刺激（Stimulus）にダイレクトに反応（Response）するのではありません。その間にその人なりの捉え方、すなわち認知（Cognition）があるのです。たとえば、廊下を歩いていた異性が「クスッ」と笑ったのを見て、「バカにされた」と認知し「怒り」という感情を感じる人もいれば、「自分を好きに違いない」と認知し「喜び」という感情を感じる人もいる。

その際に「怒り」という「感情」を操作することはできません。そうではなく、その「感情」を生み出した「認知」を修正するのです。「バカにされた」という認知の根底には「自分は人に好かれるはずがない」という自己否定的なライフスタイルが隠されていることでしょう。それこそが正すべき対象です。「怒り」そのものを操作しても意味がないのです。

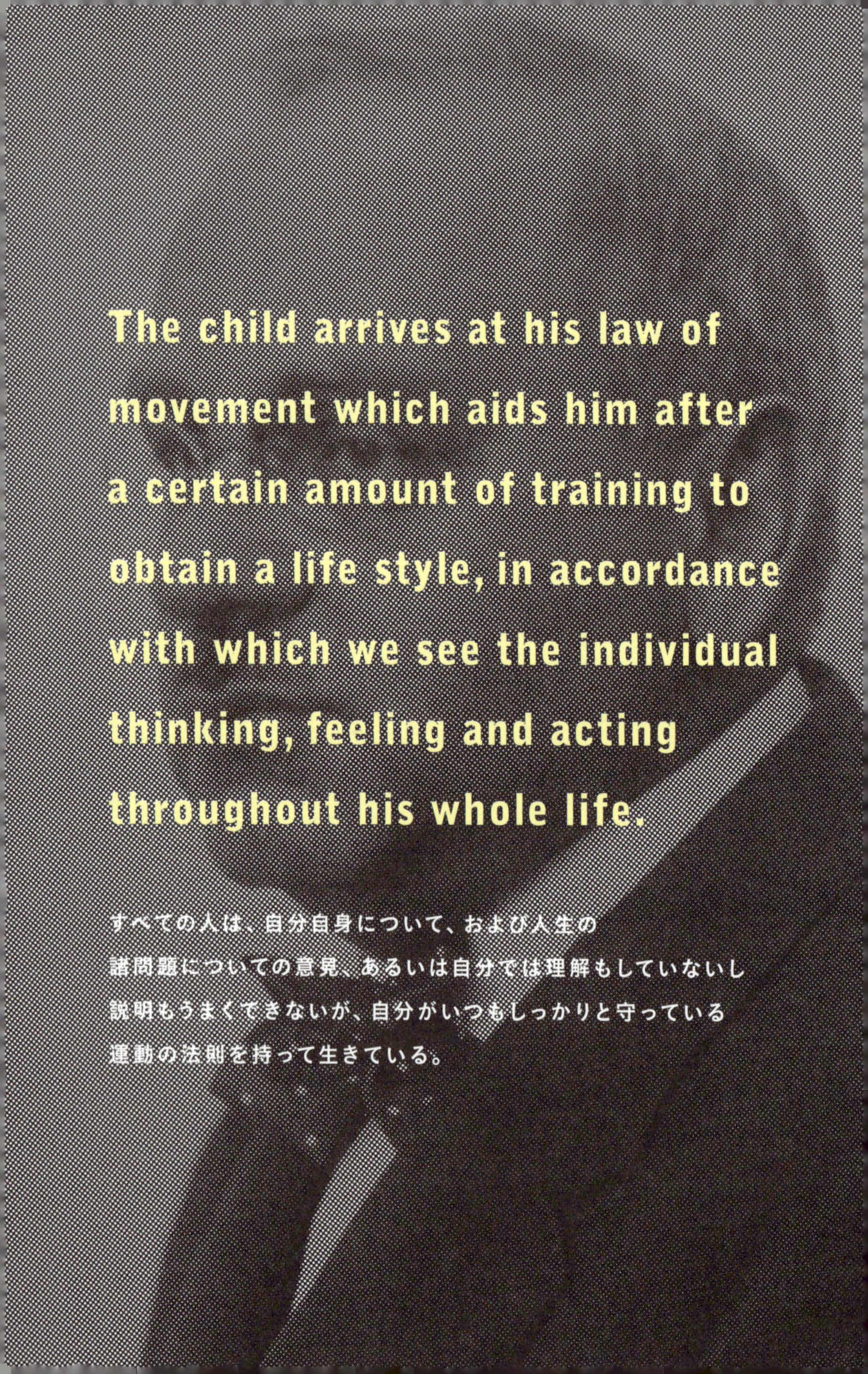

The child arrives at his law of movement which aids him after a certain amount of training to obtain a life style, in accordance with which we see the individual thinking, feeling and acting throughout his whole life.

すべての人は、自分自身について、および人生の諸問題についての意見、あるいは自分では理解もしていないし説明もうまくできないが、自分がいつもしっかりと守っている運動の法則を持って生きている。

性格は今この瞬間に変えられる

「ライフスタイル」に関するアドラーの言葉

ライフスタイル（＝性格）とは、
人生の設計図であり、
人生という舞台の脚本である。
ライフスタイルが変われば、
人生はガラリと変わるだろう。

30

友人・知人による集まりの中で、会話の中心となる人もいれば、一言も話さない引っ込み思案の人もいます。アドラーはこうした行動の違いはライフスタイル（＝性格）の違いによるものである、と言いました。「世の中の人は自分を受け容れてくれる」「自分は人から好かれている」というライフスタイルを持っている人は、自ら会話の中心になるでしょう。それとは逆に「世の中の人は自分を拒絶するに違いない」「自分は人から好かれるはずがない」というライフスタイルを持っている人は、一言も話さないことでしょう。

ライフスタイルとは、生き方のクセであり、どのように行動すればうまくいくか、という信念であり、一般的には性格、人格と呼ばれているものです。しかし、性格というと一般的に変えられないものというイメージが強いため、アドラーはあえてライフスタイルという言葉を使いました。そして、それは「原因論」的に生まれつき決まっているものではなく、自分の意思で決めたものであるため、いつでも変えることは可能だ、と考えました。

友人の中で一言も話さない性格の人は「おとなしい性格」なのではなく、「人を信用していない性格」「自分は好かれるはずがないと思っている性格」なのです。このように「おとなしい」という表層のさらに奥にある、核となる信念を見つけ、それを変えることで行動や感情は大きく変わっていく。それがライフスタイルを変える、ということなのです。

「私は○○である」

「世の中の人々は○○である」

「私は○○であらねばならない」

性格の根っこには、この3つの価値観がある。

性格といっても、様々な定義が考えられるでしょう。「明るい性格」「暗い性格」「人なつっこい性格」「人見知りな性格」など無数にバリエーションがあるのではないでしょうか。しかし、これらは表層的な浅いレベルでの性格でしかありません。これらの深層部には、あらゆる性格の根本とも言える3つの価値観、信念があるのです。アドラーはそれをライフスタイルと呼びました。その3つとは①自己概念（私は～である）②世界像（世の中の人々は～である）③自己理想（私は～であらねばならない）という3つのセットです。先の浅いレベルの性格は、これら①～③の組み合わせにより決まってくるのです。

例えば以下のようなライフスタイル＝3つのセットを持っている人がいたとしましょう。①自己概念：私なんかには誰も興味を持っていない　②世界像：人々はつまらない人間を相手にしない　③自己理想：私は誰からも相手にされないので、目立たずに黙っている方がい い。おそらく、この人は「明るい」というよりは「暗い」人であり、「人なつっこい」というよりは「人見知り」な人になるでしょう。このように表層的な性格の根本には、ライフスタイルと呼ばれる3つのセットがあるのです。ですから「暗い」人は「明るく」なろうとするのではなく、①～③の3つのセットを変えることが必要です。そして、自分を変えていく第一歩が、まずは自分自身のライフスタイル、3つのセットを知ることなのです。

人はライフスタイルを10歳くらいまでに
自分で決めて完成させる。
そして、それを一生使い続けるのだ。

32

ライフスタイル（＝性格）は赤ん坊が言葉を覚える前、0歳の頃からすでに作り始められています。そして多くの場合、10歳くらいまでの間にそれを完成させます。

私たちは子供時代に家庭を中心とした社会の中で、自らが望む地位を手に入れようとします。そのために相手の注目や愛を得ようと様々な試行錯誤を繰り返します。最初は親にストレートに注目を求めることでしょう。しかし、それがうまくいかないとなると、怒りを表すことで無理矢理、愛情を手に入れようとするかもしれません。もしくは自分が弱い存在であることをアピールして哀れみや保護を求めるかもしれません。また、つとめて陽気に振る舞い注目を集めようとする子供もいることでしょう。

このようにして私たちは試行錯誤を繰り返し、その中で「こうすると、相手はこう反応するのか」「これはうまくいった」「これはうまくいかなかった」と学習していくのです。そして、できごとに対する対処方法の指針を少しずつ蓄積していきます。例えば「自分は陽気に振る舞ってもうまくいかないな。そんなことをするよりもメソメソと泣くことで弱さのアピールをした方がうまくいくぞ」「自分は守られるべき弱い存在なのだ」などと考えを固定化させていきます。そして、その結果、先に挙げたライフスタイルの中核となる自己概念や世界像、自己理想が形作られていくのです。

ピンク色のレンズの眼鏡をかけている人は
世界がピンク色だと勘違いをしている。
自分が眼鏡をかけていることに気づいていないのだ。

33

あなたが廊下を歩いている場面を想像して下さい。すると、向こうからあなたが日頃から好意を持っている人が歩いてきてすれ違いました。その瞬間にその人があなたを見て、クスッと笑いました。あなたはどのように感じるでしょうか？「バカにされた」と思うでしょうか？「相手も自分に好意を持っているから微笑んだ」と思うでしょうか？

人は同じ場面に出合っても、受け取り方は十人十色です。同じ体験をしても、それを喜ぶ人もいれば悲しむ人もいる。そしてそれは認知の中核を占めるライフスタイル（＝性格）によって決まるのです。自分は人に好かれるはずがない、という自己概念の人は「バカにされた」と思うでしょうし、自分はあらゆる人に好かれているという自己概念の人は「相手が好意を持っているから微笑した」と取るでしょう。

多くの人は自分が独自の認知の傾向を持っていることに気づきません。あらゆるものがピンク色に見えるのは、世界がピンク色だからだ、と思っているのです。しかし、実際は違います。自分がピンク色のレンズの眼鏡をかけているだけなのです。このようにライフスタイルはものごとの見方に色眼鏡として影響を与えます。これを認知バイアスと呼びます。私たちは認知バイアスを通してしか世の中を見ることはできません。完全に客観的な見方をすることはできないのです。

使い続けたライフスタイルが支障をきたしても、
人はそれを変えようとはしない。
現実をねじ曲げてでも、
自分は正しいと思い込むのである。

34

私たちは認知バイアスから逃れることはできません。認知バイアスにより、自分にとって都合のいい情報だけを取り入れて、それ以外は例外として処理します。また、自分にとって都合のいいように解釈をねじ曲げて、「これまでの考え方は正しかったのだ」と無理矢理納得しようとするのです。その方がラクであり、そうでないと不安になるからです。

「自分は人から愛されている」というライフスタイル（＝性格）を持っている人は、たくさんの友だちを作り、「やはり自分は愛されている」とその信念を強めるでしょう。逆に「自分は人から嫌われている」と思っている人は、友だちを作ろうとせず、結果的に友だちはできず「やはり自分は人から嫌われているんだ」とますますその信念を強くするでしょう。

ある新興宗教の教祖が「半年後に世界が滅亡するような大地震が来るであろう。祈りなさい」と予言しました。しかし、地震は起きませんでした。普通であれば「教祖の予言は外れた。いい加減なものだ」と思うでしょう。しかし「教祖は正しい」という認知バイアスが働いている信者たちは逆の結論を出すのです。「教祖様の祈りのお陰で大地震を防ぐことができた。やはり教祖様の力は偉大だ」。そうやって、自らの信念をさらに強固なものにしていくのです。これは笑い話ではありません。私たちもこの信者と同じように、常日頃から認知バイアスでねじ曲げて、世の中を自分の都合のいいように解釈しているのです。

ガミガミと叱られ続けた者が
暗い性格になるとは限らない。
親の考えを受け容れるか、親を反面教師にするかは、
「自分の意思」で決めるのだから。

35

ライフスタイル（＝性格）の成り立ちは、出生順位（生まれた順番）、器官劣等性（からだの弱さ）、家族構成や家族間の人間関係、家族の雰囲気、親からの期待などに大きく影響を受けます。しかし、先に学んだ通り、それらは影響要因でしかありません。原因によりライフスタイルが自動的に決まるのではなく、本人が「目的論」的にライフスタイルを選び取り、自分の意思で完成させていくのです。これらの影響要因は建物を建てる材料としての木材や釘でしかありません。それらを使って、南国リゾート風のコテージを建てるのか、近代建築のビルを建てるのかは、本人の意思に委ねられているのです。

例えば、こまごまと口うるさく叱ってばかりいる母親に育てられた子供が、必ずしも暗くてネガティブなタイプに育つとは限りません。逆に、母親を反面教師として明るく伸び伸びとした性格になるかもしれません。また、寛大で小さなことにとらわれない大人になることもできるでしょう。こうした幾多の可能性があるにもかかわらず、それでもあえて、暗くてネガティブな性格になったとしたら、それは母親の育て方だけが原因であるとはいえないでしょう。影響はゼロではありませんが、受け容れたのは自分自身です。受け容れるか、反発するか、無視するか、は本人が決めたのです。自分で決めたのだから、自分で変えられます。人はいつでもライフスタイルを変えることができるのです。

幸福な人生を歩む人のライフスタイル（＝性格）は、
必ず「コモンセンス」と一致している。
歪んだ私的論理に基づく性格では、
幸せになることはできないだろう。

36

ライフスタイル（＝性格）は千差万別、十人十色です。とはいえ、幸福な人生を歩む人に共通する特徴と、逆に不幸な人生を歩む人に共通する特徴は存在します。それはコモンセンス（共通感覚）と合っているかどうか、です。

コモンセンスとはコモン（共通）なセンス（感覚）という意味です。つまり「個人にとっても組織や家庭などにとっても、共に受け容れられるような意味づけ」をコモンセンスと呼んでいるのです。このコモンセンスは辞書を引くと常識と訳されています。しかし、アドラーは「コモンセンスが必ずしも常識と同じであることはない」と言っています。例えば子供は学校に通うべき、というのが世の中の常識ですが、もしも学校でひどいいじめにあっていたとしたら、無理をして行くべきではないでしょう。この場合は、あえて学校に行かないことがコモンセンスである、とアドラーは言っているのです。

そして、アドラーはこれと対比する形で私的論理という言葉を提唱しています。これはコモンセンスの逆であり、「個人にとってだけしか受け容れられない、共同体では受け容れがたい意味づけ」を指しています。歪んだ私的論理だけで生きていては必ず人生が行き詰まります。今からでも遅くありません。ライフスタイルをコモンセンスに添った形に改めていくことが必要でしょう。それが幸福に生きるための方法なのです。

「怒りっぽい性格の人」など存在しない。
「怒りという感情をしょっちゅう使う人」なのだ。
生まれ変わる必要はない。
感情の使い方を変えればいいだけなのだ。

「三つ子の魂百まで」。性格は変えることはできない、と思っている人が多いのではないでしょうか。しかし、性格を変えることは、生まれ変わることではありません。持っているものの「使い方」を変えることなのです。

アドラーは、子供の頃に自分で決意をして「怒ることをやめ」ました。そして、それ以来、本当に怒らなくなったそうです。これは「怒る人」から「怒らない人」に生まれ変わったのではない。怒りという感情を「しょっちゅう使う」ことをやめて「ほとんど使わない」ように変えただけのこと。このようにして、性格は変えることができるのです。

性格を変える、とは個人が所有している精神的な所有物のカタログを入れ替えることではありません。今、持っている所有物のより良い使用法を学ぶことです。怒りを持つか持たないか、ではなく、怒りをどのように扱うか、怒りをどれくらいの頻度で利用するか、を変更すること。それが性格を変える、ということなのです。だからこそ、性格はいつでも変えることができるのです。もしも所有物を入れ替えるのであれば、簡単ではないでしょう。これまでずっと使ってきた所有物を失いたくない、と思うかもしれません。また、新たな所有物を持つことに対する抵抗やためらいもあるでしょう。しかし、使い方を変えるのはそれほど難しくありません。だからこそ、性格を変えることは十分に可能なのです。

自ら変わりたいと思い努力をすれば、
ライフスタイルを変えることは十分に可能だ。
性格は死ぬ1〜2日前まで変えられる。

38

「何歳ぐらいになったら、性格を変えるのには手遅れですか」と、アドラーに尋ねたところ、アドラーは言いました。「死ぬ1〜2日前かな」（S・M・ロス）。この言葉に勇気づけられる人は多いと思います。自分自身の意思で「変わりたい」と思えば、変えることは可能です。なぜならば、現在のライフスタイルは自分自身が作りだしたものだからです。

ライフスタイルを変える際には、まず現在のライフスタイルが何であるかをきちんと把握することから始めなくてはなりません。それは「明るい」「暗い」などの表層的な性格表現ではありません。それらの根本にある中核的信念と呼ばれる「自己概念」「世界像」「自己理想」を言葉にする必要があるでしょう。

それを明らかにするために、アドラー心理学では、家族布置（構成）分析や、早期回想と呼ばれる幼少期の思い出分析などを用います。そして、そのライフスタイルをカウンセラーの力を借りながら、本人が自ら書き換えていくのです。しかし、ライフスタイルは一度紙の上で書き換えたからといってすぐに変わるようなものではありません。よほど注意していないと、すぐに使い古した昔のパターンに戻ってしまうでしょう。その行きつ戻りつを何百回、何千回と繰り返すのです。やがて、少しずつ自分が変わっていくのがわかるでしょう。そして生きてきた人生の半分ほどの時間をかけて完全に書き換えを終えるのです。

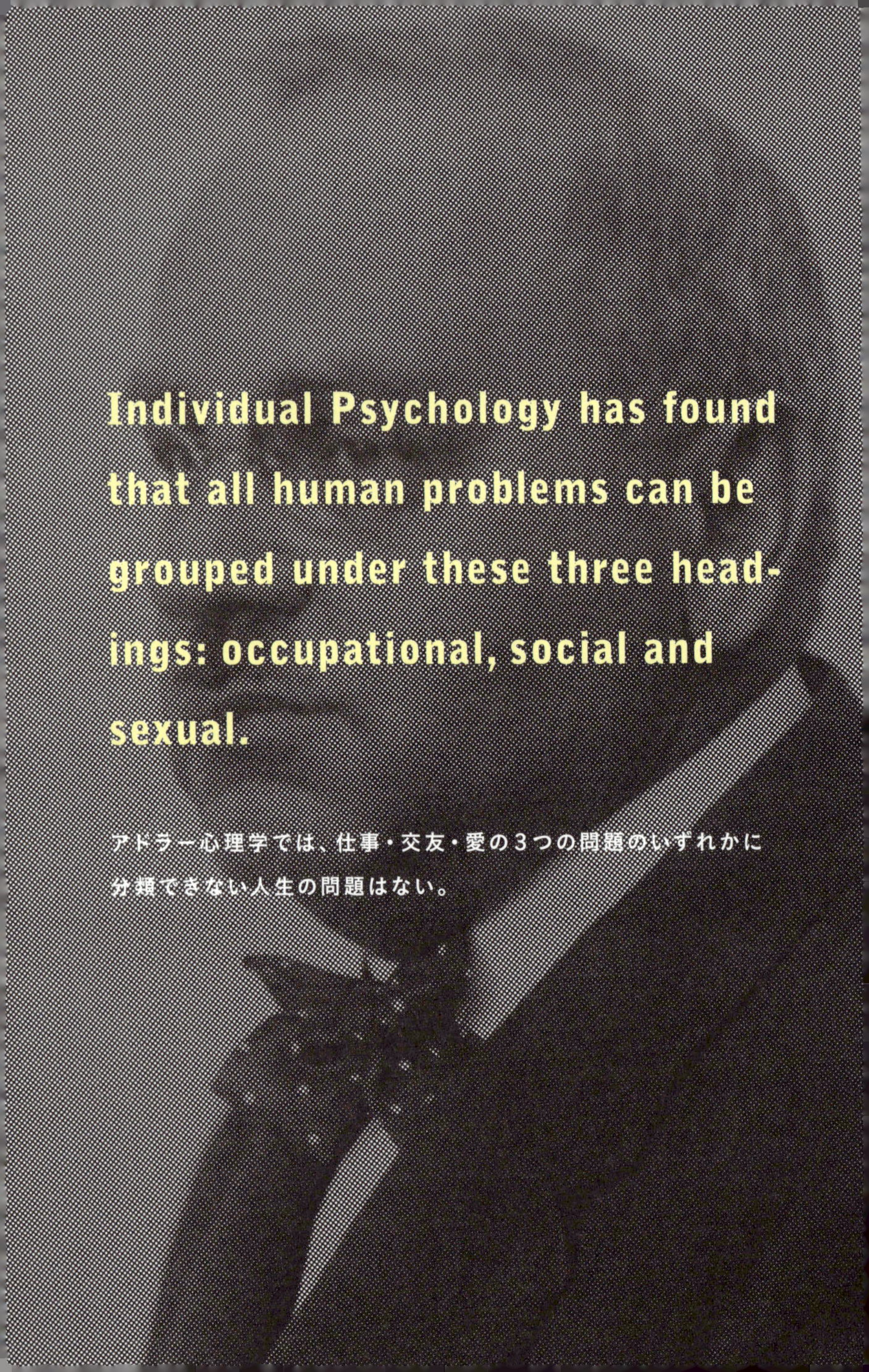

Individual Psychology has found that all human problems can be grouped under these three headings: occupational, social and sexual.

アドラー心理学では、仕事・交友・愛の３つの問題のいずれかに分類できない人生の問題はない。

あらゆる悩みは対人関係に行き着く

「ライフスタイル」に関するアドラーの言葉

すべての悩みは対人関係の課題である。
仙人のような世捨て人さえも、
実は他人の目を気にしているのだ。

39

あらゆる悩みは対人関係の課題である、とアドラーは言いました。たった一人で住んでいる世捨て人のような人でさえも、実は他人の目を気にしているのです。それがよくわかる、以下のようなエピソードがあります。

ある村に世俗的な欲望を捨てた仙人のような人がいました。彼は村に住むことを拒否し、山の中に掘っ建て小屋を造って、たった一人で自給自足の生活を始めました。村人たちと交流することに意味を感じなかったのです。

ある日、その村が大火事に見舞われました。村は荒れ果て、人々はその土地を捨てて、他の土地に移住することに決めました。そして、村全体で大移動をしたのです。すると、驚いたことに、仙人のような世捨て人までもが移住して、新しい村を見渡せる新たな山に引っ越したのです。世捨て人は、人間関係を捨てたのではありませんでした。彼は「世俗の欲望を捨てた仙人のように『清らか』で『優れた』人間である」と村人から思われたかった。そのために世捨て人になったのです。ですから「観客」がいない場所で生きることに耐えられなかったのです。

あらゆる人の悩みはすべて対人関係の問題に帰結します。自分はどのような人間でありたいか、と考える際には、必ず周囲の目を気にしているのです。

「最近ウツっぽいんです」
「忙しくて休みが取れないんです」
内面の悩みに見える言葉も、
すべて対人関係の問題に起因している。

40

「もう年で若い人には勝てません……」は個人の内面の悩みではありません。そう言いながら「年の割にはけっこう頑張っているでしょ?」というアピールをしているのです。「最近ウツっぽくて……」などという言葉も、額面通りに受け取ってはいけません。「ウツ」になりそうなほどに、繊細でナイーブな自分をアピールしているのです。「忙しくて貧乏暇なし。たまには休みが取りたいですよ……」という言葉も、忙しさをアピールしているに過ぎません。決して落ち込んでいるわけではないのです。

このように、一見すると内面の悩みの吐露のような言葉も、すべてそこには「相手」がいて自らの優位性をアピールする、という「目的」があります。

私たちの言動や感情には、すべて「相手」がいて「目的」があります。先に述べた仙人のような隠者と同じく、常に「観客」を意識して言動を発しているのです。それほどまでに、対人関係が大切な私たちですから、あらゆる悩みは対人関係に帰結するのです。

体調が悪いことや神経症に冒されていることもまた、対人関係上の問題です。病気になることで特別な存在となり、相手への優越をアピールできるからです。そのために、その人にとって病気は必要なのです。あらゆることは対人関係の問題なのです。

悩みをゼロにするには、
宇宙でたった一人きりになるしかない。

41

すべての悩みは対人関係に帰結します。たとえば「仕事がうまく進められない」「目標が達成できない」という悩みもまた、対人関係に行き着くのです。もしも、仕事がうまく進まず、目標を達成できなくても、上司や周囲の全員から「それでいいのですよ」。まったく問題はありません」と言われれば、悩むことはないでしょう。つまり、それは仕事がうまく進まないことによる悩みではなく、上司や周囲の人から否定されるかもしれない、という対人関係の悩みでしかないのです。

しかし、中にはそうではない、という人もいるでしょう。仮に、周囲の人が許してくれたとしても、目標未達成が続いていては退職させられるかもしれない、と思い悩む人もいるでしょう。アドラー心理学ではそれも対人関係の悩みである、と考えます。つまり「失職するかもしれない」という悩みは「会社や社会全般という人の集まりの中で自分の居場所を確保できるかどうか」という悩み、ということになります。そのために、自分がどのような役割を果たし、どのように貢献すればいいのか、ということを悩むのです。これは、まさに対人関係そのものです。

人は一人では生きていけません。もし、完全に対人関係の悩みから解放されたければ、宇宙でたった一人きりになるしかありません。対人関係から逃れることはできないのです。

人生には３つの課題がある。
１つ目は「仕事の課題」
２つ目は「交友の課題」
３つ目は「愛の課題」である。
そして後の方になるほど解決は難しくなる。

42

あらゆる人生の課題は、対人関係に集約され、それはわずか3つに分類される、とアドラーは言いました。それは仕事の課題、交友の課題、愛の課題です。そして、後の方になるほど課題は難しくなる、と述べたのです。アドラーはこれら3つの課題を総称してライフタスク（人生の課題）と呼びました。

ある会社員の男性はこのような悩みを持っていました。それは「商品を売り込む商談の時は、まったく緊張することなく普通に話せるのですが、雑談になると途端に緊張して話せなくなってしまうんです……」というものでした。また、この男性は女性と話す時も同様に緊張してしまう、とのことでした。これは、アドラーによる3つのライフタスクをもとに考えれば容易に説明がつくことです。

商談とはすなわち仕事の課題です。これは人間関係の中では一番簡単なものです。しかし、それ以上に難しいのが交友の課題であり、愛の課題です。つまり、雑談や異性とのつきあいの方が仕事よりもよほど難しいのです。ですから、仕事相手との雑談や異性とのつきあいで緊張するのはごく自然なことなのです。交友の課題や愛の課題は、仕事以上に濃い対人関係です。従って難しさが増すのは当然のことなのです。では、どのように対処していくべきなのか。それは後ほどじっくりと見ていきましょう。

あなたのために他人がいるわけではない。
「○○してくれない」という悩みは
自分のことしか考えていない何よりの証拠である。

43

「私に対して何もしてくれない」「私を大切に扱ってくれない」「私の意見を採用してくれない」。これらの理由から、相手を「仲間とは思えない」と言う人がいたとしたら、その人は大きな間違いを犯していると言えるでしょう。その人が「自分のことしか」考えていないのは明らかです。それでは交友の課題を解決し、幸福に生きていくことはできません。

健全な人とは、たとえ相手が自分の期待とは違う行動を取ったとしても、それでも相手を仲間として認めつきあうことができる人です。人は誰もが、あなたの期待を満たすために生きているのではありません。そして、あなただけが世界の中心にいるのではありません。一人ひとりが等しく自分の人生の主人公であり、誰もが等しく中心にいたい、と思っているのです。あなただけが特別な権利を持っているのではないのです。

交友の課題は、仕事の課題とは異なり、建前や役割などがない自由な世界です。であるがゆえに、難しい。仕事の課題においては明らかにならなかった、その人のライフスタイル（＝性格）の問題点が如実に現れてしまうのです。「私を～してくれない」という理由から、相手を仲間から除外してしまう人は、交友の課題だけにおいて問題を抱えているのではありません。交友の課題以上に困難な愛の課題においても同じく相手を非難し、苦労することになるでしょう。いずれの課題においても同じライフスタイルで対応するからです。

交友や愛の課題における失敗から逃げるために、
必要以上に仕事に熱中する人がいる。
そういう人は週末の休日さえも恐れるのだ。

44

休み も取らず、毎日深夜まで働く、ワーカホリックと呼ばれる人たちがいます。では、彼らはそれほどまでに仕事が好きで仕事を愛しているのでしょうか？

もちろん、そういう人もいるでしょう。しかし、そうではない人もいる。交友の課題や愛の課題から逃げ出すために、仕事に熱中している人も多くいるのです。

「妻との関係が冷え切っているから、家に帰りたくない。だから、妻が眠りにつくころまで毎晩のように会社にいるんだ」と明言している友人がいました。彼こそはまさに、愛の課題から逃げ出すために、必要以上に仕事の課題に熱中している例と言えるでしょう。

彼らが仕事に熱中する理由は、「今ある交友や愛の課題」から逃げるためだけではありません。「未来の交友や愛の課題」から逃げるためにも仕事に救いを求めることがあります。

例えば「結婚したいけれど仕事が忙しくてできない」という人がいます。アドラー心理学的に見れば、この人は、本当は結婚したくないのです。結婚に失敗し、人生に敗北したことが露見するのを恐れるあまりに、課題に直面することを避けているのです。

「仕事が忙しくて友だちができない」というのも同様です。彼らは「友だちづきあいがうまくできない」という敗北が露見するのを避けるために、必死に仕事をし、友だちを作らないように努力を続けているのです。

「愛の課題」とは
異性とのつきあいや夫婦関係のことである。
人生で一番困難な課題であるがゆえに、
解決できれば深いやすらぎが訪れるだろう。

夫や妻に対して注意や助言をしても、まったく聞き入れてもらえなかったのに、赤の他人が自分とまったく同じことを伝えたらすっと聞き入れられて腹が立った。そんな経験はありませんか？　人は身近な人の忠告を疎かにしがちです。距離が近い人よりも、適度に距離が離れている人の方が、話を受け入れられやすいのです。

富士山は遠くから見ると美しい山です。しかし、近くで見るとごつごつした岩ばかりで、ゴミも捨てられ、汚い面ばかりが目に入ります。身近な人、ましてや恋人や夫婦など距離の近い関係においてもそれは同じこと。遠くから見ているうちはいい面が目につくものですが、いつも一緒にいると、相手の嫌な面ばかりが目についてしまうのです。また、男性と女性とでは価値観や考え方、社会的役割が異なることも多いでしょう。そのような違いがあるにもかかわらず、最も距離が近い。その結果、関係は最も難しくなるのです。

しかし、生きていく以上、私たちは愛の課題を避けて通ることはできません。そして、それを解決した時に、他では得ることのできない深いやすらぎを手に入れることができるのです。では、愛の課題を解決するにはどうすればいいのでしょうか。それは、仕事や交友の課題を解決することと大きく変わりません。同じことをより高いレベルで求められるだけ。ですから、仕事と交友の課題を解決できない人には愛の課題は解決できないのです。

配偶者を従わせ、教育したいと思い、
批判ばかりしているとしたら、
その結婚は決してうまくいかないだろう。

本来、結婚するということは、相手を誰よりも大切に思い、自分のこと以上に相手を大切にすることです。常に「自分が何を手にするか」「自分の要求をいかに押し通すか」と考えるのではなく、「相手に何を与えられるか」「相手をいかに喜ばせることができるか」を考え、実行する。しかも、それをどちらか一方だけではなく、双方が共に実行する。それが結婚生活を幸福なものにする唯一の方法なのです。

ですから、いずれかが「私は常に正しい。相手が間違っている」と思っている限り、うまくいきません。また「自分の方が上である。従ってレベルが低い相手を教育しなければならない」と思っている場合もまた、うまくいきません。それは平等ではないからです。

また、支配は単に言葉で行われるとは限りません。物理的および社会的に力が弱いことの多い女性が男性を支配するために、涙を流したり、わめいたり、病気を利用したりすることがあります。それもまた力による支配の一つです。当然ながら、このような関係もうまくいきません。あくまでも二人が平等であり、奪うことよりも与えることを大切にする。そうして初めて愛と結婚の課題は解決され、幸せが訪れるのです。

愛と結婚の課題においては、男性と女性が平等であることが前提条件です。それが崩れている限り、二人は常に問題を抱え続けることになるでしょう。

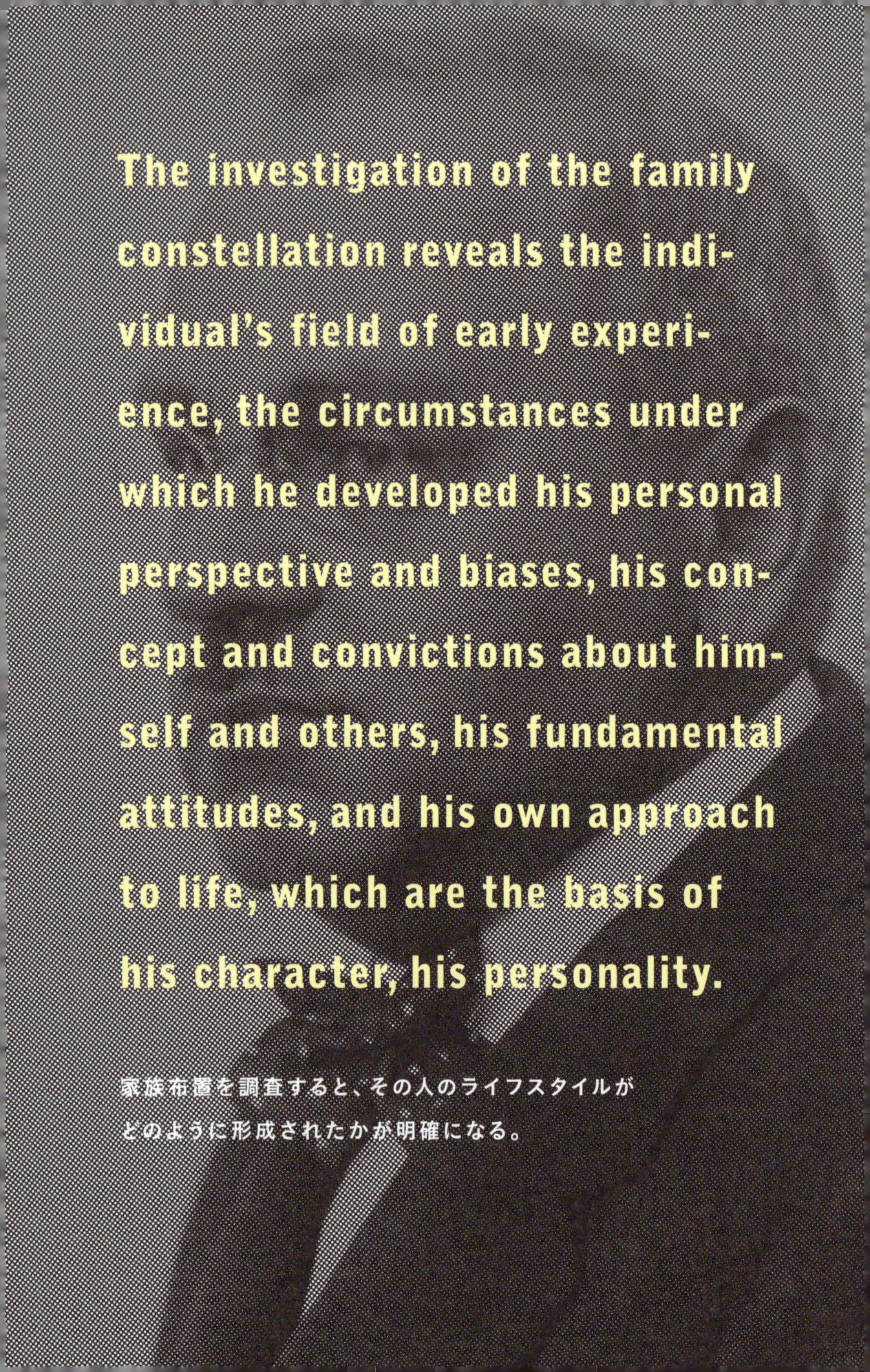

The investigation of the family constellation reveals the individual's field of early experience, the circumstances under which he developed his personal perspective and biases, his concept and convictions about himself and others, his fundamental attitudes, and his own approach to life, which are the basis of his character, his personality.

家族布置を調査すると、その人のライフスタイルがどのように形成されたかが明確になる。

家族こそが世界である

「家族構成」に関するアドラーの言葉

子供にとって家族は「世界そのもの」であり、
親から愛されなければ生きていけない。
そのための命がけの戦略が
そのまま性格の形成につながるのだ。

47

動物のドキュメンタリー番組で、子馬が生まれるシーンを見たことがある方は多いでしょう。子馬は母馬から生まれてすぐに自分の足で歩き始めます。しかし、人間は違います。人間の子供は他の動物に比べて極めて未成熟な状態で生まれてくるがゆえに、親の助けなしに一人で生きていくことはできないのです。そのため、人間の子供は親から見放されることを極端に恐れます。このような弱い存在が親から見捨てられることは、死の宣告に等しいからです。そうして、子供は親に愛され、認められようと必死に努力をします。

ある子供は、親の言いつけを守り、いい子になることで親に愛されようとするでしょう。別の子供は、優等生になることができず、自分の弱さをアピールするために病弱になり、保護されることで親の関心を引こうとするでしょう。さらに別の子供は、問題行動を起こし、親を困らせることで親を無理矢理自分の方へ振り向かせようとするかもしれません。これらの子供は、普通に見ると、まったく別々な子供にしか見えませんが、実は彼らの狙いは一つです。親の愛や関心を引くために、それぞれの戦略を実行しているだけにすぎないのです。子供はこれらの戦略を試行錯誤しながらテストします。そして、そのうちで成功したやり方が生き残り、その後大人になってもずっと繰り返して使われます。それがその子供のライフスタイル（＝性格）になっていくのです。

長男は勉強、次男は運動、末っ子は読書。
きょうだい間で得意分野が異なるのには理由がある。
それぞれが違う分野で認められようとするからだ。

48

例えば、長男は勉強が得意でまじめな優等生。次男はスポーツが得意で活発。末っ子の次男は読書やゲームが好きな内向的な性格。このように兄弟間でそれぞれ違った得意分野や性格を持つことはよくあることです。そうなるのには明確な理由があるからです。

アドラーは家族関係、特に兄弟姉妹（以下きょうだいと表記）関係がライフスタイル（＝性格）形成に大きな影響を与えると考えました。最初に生まれた第一子は親の愛を独占して育ちます。しかし、第二子が生まれると、突如として独占状態を失い、親の愛を下の子供に奪われてしまいます。そこからきょうだい間での「親の愛」を巡る奪い合いが始まります。第一子、中間子、末子それぞれが、それぞれの得意分野でアピールし、親の愛と関心を奪い合うのです。しかし、それぞれは相手が得意な分野（例えば勉強やスポーツなど）にはあえて参入しようとしません。そうではなく、独自な新しいジャンル（例えば芸術など）できょうだいに対する優越を示し、親に認めてもらおうと考えるのです。

このように、子供のライフスタイル形成は、親子関係以上にきょうだい関係が大きく影響するとアドラー心理学では考えます。そのため、家族布置と呼ばれる家系図や家族間の人間関係、さらには家族の雰囲気や家族で共有された価値などを調べることで本人の内面を分析していくのです。

第一子は、初めての子として両親の愛を独占する。
しかし、第二子の誕生と共に突然
「王座と特権」を奪われるのだ。
その後、かつての「帝国」を取り戻そうとするだろう。

第一子は両親にとって初めての子供です。そのため、両親からの深い愛情を一身に受け、それを独占します。しかし、第二子の誕生と共に突然「王座を奪われ」ます。これまで様々な特権を独占してきたところへ、突然もう一人が加わり、自分以上に親の時間や愛を奪っていくのです。第一子はこれに耐えることができません。多くの場合、第二子に対して攻撃を仕掛けたり、力ずくで親の注目を取り戻そうとします。しかし、それもうまくいかなくなると、今度は正の注目ではなく負の注目を集めようと問題行動を取るようになるのです。

多くの場合、第一子は年長であるために、きょうだいの中で体格や知能において優れており、リーダーの役割を担います。その結果、大人になってからも責任感が高く、リーダーシップを発揮するようになることが多くあります。

また、非常に高い目標を掲げ、それを追いかける勤勉な努力家になりがちで、「自分はいつも一番優れていなければならない」「いつも正しくなくてはならない」といった理想主義、完璧主義になりがちです。そのため、背伸びをして無理をしてしまいます。また、法律やルールや権威、世間体を重んじる保守的な性格になる傾向があります。

こうした理由から、第一子は社会的に有用な人になるか、もしくは支配的になる可能性が高い、とアドラーは述べています。

中間子は親の愛を独占したことがないため
競争的、攻撃的で、すねた人になりがちだ。
「自分の人生は自分で切り拓かなくてはならない」
と思う傾向にある。

50

中間子とは兄や姉といった年長者と弟や妹といった年少者との間に挟まれた「中間」に位置する子供のことを指します。

第一子は第二子が生まれるまでの間に親の愛を独占します。また、末子は甘やかされ、長い間赤ちゃん扱いを受けることができます。しかし、中間子は上下に挟まれ、一度も親の愛を独占したことがなく、常に競争を強いられます。そのため、他のきょうだいをかきわけて自己主張しなければならず、競争的な性格になりやすい、とアドラーは言いました。

また、常に上下と競合するために、その地位は不安定で「自分は無視されている」「愛されていない」「不当に扱われている」と感じやすくなります。そしてそのような「不正や不公平」に対して敏感で「自分は闘わなければならない」と考え、その結果、攻撃的で、すねた人になりがちです。

また、中間子には常にお兄さん、お姉さんという追いつくべき目標が明確にあります。そのため、現実主義になりがちで「名よりも実を取る」傾向が強くなります。

三人きょうだいの場合、中間子の中でも、特に第二子は第一子と正反対の性格になりがちです。第一子が活発であれば、第二子はおとなしく、という風に逆になりがちです。第二子は年上の第一子と競合しない分野で自分の特徴を出そうとするからです。

末っ子は甘やかされて育ちがちだ。
そのため、自分では努力をせず、
無力さをアピールして人にやってもらおうとする
「永遠の赤ん坊」になる傾向がある。

末っ子だけは他のきょうだいと違い、親から独り立ちするよう求められることがありません。「さあ、あなたは今日からお兄ちゃん（お姉ちゃん）になったのよ。もう、自分のことは自分でしなさい」と言われることが一度もないのです。だから、末っ子は「永遠の赤ん坊」の地位に甘んじることができます。また、多くの場合、親は「出産はこの子で最後にしよう」と心を決めていることが多いため、持てるものや愛情をすべて末っ子に与えようとします。そのため、末っ子は甘やかされた子供になる確率が高くなります。

このように甘やかされて育った末子は、問題が起きたときに第一子や中間子のように「自分の力で何とかしなくてはならない」と考えるよりも、弱さや無力さをアピールすることで、親やきょうだいに問題解決を肩代わりさせようと考える依存的な子供になりがちです。またそのことにより、問題児になる確率が高い、とアドラーは考えました。

さらに末っ子は上に手本となるきょうだいがいるために、対人関係が上手です。そして、三人以上のきょうだい間競合においては、一番上のきょうだいと同盟を結び、中間子と対抗することがよくあります。

しかし、すべての末っ子が甘やかされて依存的になるわけではなく、年上のきょうだいをかきわけて努力し、勝利者になるストーリーも多く見られるとアドラーは言いました。

一人っ子は、親の影響を多く受ける。
また、末っ子と違い、きょうだいがいないため、
人間関係が不得手な人が多い。

52

一人っ子には競争相手がいません。常に親の愛と注目を独り占めして育つために、甘やかされ、わがままで自己中心的な子供になる傾向があります。「自分は常に注目を浴びて当然だ」「手を差し伸べられるのが当たり前で、援助してくれない人は敵である」と考えてしまうのです。

また、親との関係が濃密であるために、親の影響を強く受けがちです。例えば、親が心配性の場合、子供も自信がなく不安を感じやすい性格になるケースが多くあります。

きょうだい間で奪い合ったり、ケンカをしたり、駆け引きや妥協をした経験がないため、対人関係が苦手になりがちです。ただし、周囲には常に大人しかいないため、年長者との対人関係のみうまくなり、同年代の子供との人間関係が苦手になる傾向があります。

周囲には常に大人ばかりいるため、自分のことを無力で劣った存在だと思いがちで、その結果、自信がなく依存的になりがちです。問題を自分の手で解決するよりも、安易に人に頼りがちで、自らの無力さや弱さをアピールすることで誰かに問題を肩代わりしてもらおうとする傾向があります。

しかし、時には責任感が強く自立的な子供になる場合もあります。ただし、その場合には親による勇気づけがなされる必要があります。

身振りや話し方が親に似るのには理由がある。
子供は親を真似ることで親の権力を手に入れようとし、
結果として本当に似てくるのだ。

子供が親に似るのは何も遺伝だけが原因というわけではありません。子供は意識せずとも自ら進んで親の真似をするようになることがあるのです。それには、理由があります。

一つ目の理由は、親と同盟を結んでいることを他の家族にアピールするためです。「あの子は父親にそっくりだ」「母によく似ている」と言われることで、親を味方につけ同盟を結んでいることを他の家族にアピールしているのです。そして、家族の中でより優位な地位を占めようとするのです。

しかし、子供は仲の良い親の真似をするだけではありません。対立し嫌っている親に似ることもよくあります。その場合は二つ目の理由となります。それは、衝突しながらも、その親が持っている権力を手に入れようとするのです。子供にとって厳しい親は権力の象徴です。家族の中で力を持ちたいと思っている子供は、権力を手にしたいがために、意識をせずに権力を持っている親を真似るようになっていくのです。

こうして見てみると、第一の理由も第二の理由も目的は同じであることに気がつきます。つまり、子供が親を真似、結果として似てくるのは、家庭内において優位な地位を手にしようとする戦略なのです。子供はこれらのことを明確に意図せずに行います。そして、身振りや表情を真似ているうちに、いつしか顔つきまでもが親に似てくるようになるのです。

子供は両親が持っている価値観を
無視することができない。
全面服従して受け容れるか全面反抗するのだ。
警察官の子供なのに
非行に走ることがあるのは、それが理由である。

両親が持っている価値観を家族価値と言います。家族価値は家族の理想であり目標です。例えば「学歴が大事である」「男は男らしく、女は女らしくなくてはならない」「勤勉が第一」「結局はお金がすべて」などがそれに当たります。

家族価値は両親が共に同意しているものに限らず、二人の間で一致し、統一されていなくても、常に話題になっているものであれば、それは家族価値になります。

子供は家族価値を無視することができません。多くの場合、子供は全面服従して家族価値をそのまま自分の価値として取り込むか、もしくはその逆に全面反抗をします。例えば、警察官の子供は「規律正しくあるべきである」という家族価値に対して二つの姿勢を取ることができます。一つは全面服従し、自らも規律に対して従順になる方法です。もう一つは、全面反抗で、非行に走るようになる、という方法です。これと同じように、教師の子供が学校で落ちこぼれたりするのは、全面反抗の代表的な例です。

このように家族価値は子供の価値観形成に大きな影響を与えます。しかし、気をつけなければならないのは、子供の性格が親の価値観により「原因論」的に決まるのではない、ということです。子供は自分の意思で服従するか反抗するかを決めています。常に「自己決定性」を持っている、ということを忘れてはいけません。

子供は親が貼ったレッテル、
たとえば「しっかりした子」「甘えん坊」
「おてんば」「恥ずかしがり屋」などに対して
過剰に応えようと努力をする。

55

「この子はとても責任感が強いのよ」。母親にそう言われて育った子供は親の期待に応えようと「責任感を強くもたなくては」と自分を駆り立てます。そして、これまで以上により一層「責任感を発揮」することがあります。親が貼ったレッテルに応えようとするのです。それは「責任感が強い」といったポジティブなレッテルだけではなく、「甘えん坊」「おてんば」「恥ずかしがり」といったレッテルに対しても同様です。

子供は、親からの期待やレッテルに応えようと努力します。親の期待に背いたら、見捨てられてしまうかもしれない、と考えるからです。また、親が貼ったレッテルを演じることで、周囲から注目されたり笑いを集めたりできるため、積極的に応えることもあります。どちらにせよ、子供は親からの期待やレッテルに応えようと懸命に努力をするのです。

しかし、それが行き過ぎると逆効果になることがあります。「これ以上責任を負わされてはかなわない」と思い、逆に無責任な行動を取ることがあります。また、「いい子」であることに疲れてしまい、逆に「悪い子」になることもあります。

これらは、親の期待とは逆の結果であるため、親は「期待を裏切られた」と思います。しかし、子供がこれらの行動を取るのは親の期待が原因である場合もあるのです。このように、子供の性格形成に親からの期待やレッテルは影響を与えるのです。

アドラー派のカウンセラーは、
家族構成と子供時代を把握することで、
現在の「性格」を明らかにする。

56

性格（＝ライフスタイル）は人生の脚本であり、地図です。人は幼少期10歳位までに完成させたこのシナリオと地図を使って、生涯にわたって同じ思考・感情・行動のパターンを取り続けるのです。カウンセラーがクライアントの精神的、身体的な苦しみを取り除くためには、まずは現在のライフスタイルを明確にし、それが歪んだものであるならば、正しいライフスタイルへと書き換えるナビゲーターとならなければなりません。

アドラー派のカウンセラーは、クライアントのライフスタイル診断に際して、家族布置分析と幼少期の記憶である早期回想分析を最も重視します。家族布置分析では、幼少期に一緒に暮らした家族の年齢、職業、性格、身体的および頭脳的な優越性、社会的地位や職業などを明らかにします。また、それぞれの間での仲の良さ、悪さを図示します。そうして、両親やきょうだいなどがどのように本人に接していたかを推測し、それにより形成されたであろう本人のライフスタイル（自己概念、世界像、自己理想）を推理していきます。

また早期回想分析も有効な手法です。クライアントが記憶している最も古い記憶もしくは最もビビッドな記憶を3～6個話してもらい、それを分析するのです。その際、記憶は曖昧でも、極端な話や作り話であっても、問題ありません。修正や創造された記憶にも意味があるからです。これらにより、クライアントの現在の性格が明らかにされるのです。

Everybody can do everything.
誰でも、何でも、なし遂げることができる。

叱ってはいけない、ほめてもいけない

「教育」に関するアドラーの言葉

叱られたり、ほめられたりして育った人は、
叱られたり、ほめられたりしないと行動をしなくなる。
そして、評価してくれない相手を
敵だと思うようになるのだ。

57

いまだにアメとムチ、すなわち、ほめたり叱ったりすることで人を育てることが正しいと信じている人が多くいます。それは明らかな間違いです。ごほうびやほめ言葉につられて、私たちの言う通りの行動を取る人がいたとしたら、その人は自分の意思で行動しているのではありません。ですから、私たちがごほうびやほめ言葉をやめてしまえば、その行動を取らなくなります。つまり、ごほうびやほめ言葉で相手を釣る限りは、一生それをやり続けなくてはならないということになります。しかも、私たちが見ていないところでは、相手はその行動を取らなくなる。私たちが見ている時にしか、その行動を取らないのです。

その逆であるムチ、すなわち罰や叱ることで相手の望ましくない行動を防ぐのも同じことです。自分の意思で行動をやめるのではないのですから、強制がなければ問題行動を続けるに違いありません。私たちの監視の目が届かないところでは、相手は問題行動を取るでしょう。つまり、アメとムチは何の問題解決にもならないのです。

それだけではありません。アメとムチ、ほめたり叱ったりすることでコントロールをされることに慣れた相手は、自分をほめてくれない時に私たちを敵だと思うようになります。「なぜほめてくれないのか?」と責めるのです。私たちは相手をコントロールしようとしてはいけません。それは教育ではありません。むしろ逆効果になってしまうからです。

叱ると一時的には効果がある。
しかし、本質的な解決にはならない。
むしろ、相手は活力を奪われ、
ますます言うことを聞かなくなるだろう。

58

「こら！　やめなさい！」と怒鳴りつければ、子供は一時的にその行動をやめるでしょう。「そんなことをしたら、お菓子をあげませんよ！」と子供を脅せば、一時的には意のままに動かすことができるかもしれません。しかし、これら「叱る」「罰を与える」「脅す」は、あくまでも一時的な効果しかありません。子供が問題行動を取らなくなる、という本質的な解決には、むしろマイナスになることの方が多いのです。

ガミガミと口うるさく叱られることで子供は自信を失い、深く傷つき、勇気をくじかれます。困難に挑戦する活力を奪われ、困難から逃げ、不適切な行動を取るようになるでしょう。また、罰を与えられたり、脅されたりしたことで、相手を恨み、余計に意固地になり、ますます言うことを聞かなくなります。これは親子の間に限ったことではありません。先輩が後輩を、もしくは上司が部下を叱る時も同様です。叱ることで相手の活力を奪い、意固地にさせ、ますます言うことを聞かなくさせる。逆効果でしかないのです。

しかし、私たちはそのことを知りません。ですから一時的なその場しのぎを本質的な問題解決と勘違いするのです。そして、間違った教育である「叱る」「罰を与える」「脅す」を繰り返してしまうのです。そうではなく、対等の目線で会話をするのです。一時的な抑制効果により本質を失ってはならないのです。

間違いをわからせるには、
親しみのある話し合いをすればよい。
大切なのは、それができる信頼関係を築くことだ。

59

『叱ってはいけない』ということはわかりました。しかし、相手の問題行動は直りません。そんな時はどのようにすればいいのでしょうか？　叱らずにどのように相手にわからせればいいのでしょうか？」この問いに対してアドラーは明確に答えています。

「何も叱ったり罰を与えたり脅したりする必要はありません。相手に簡単な説明や親しみのある話し合いをするだけで十分です。信頼関係があれば、相手はそれを受け入れます」

大切なのは信頼関係を築くことです。そうすれば、相手は私たちの説明や話し合いを受け入れることでしょう。その場合、私たちは相手の問題行動のすぐ後にその場で説明をしてはいけません。それは、言葉の表現が穏やかなだけで、実際は叱責になるからです。話し合いのふりをした叱責は教育効果がないのは、先に述べた通りです。

できれば、相手とは、問題行動が起きた後、しばらく経って穏やかな雰囲気になったところで話し合いをしたいものです。「私は、あなたがこうしてくれたら嬉しいなぁ」「あなたがこのような行動を取ると、とても悲しくなるんだ」。そこで持たれる話し合いは、相手を支配したりコントロールしたりする言葉を使ってはなりません。自分がどう感じるかを伝えるだけにとどめたいものです。そして相手が自分の意思で行動を変えるのを待つのです。

問題行動に注目すると
人はその問題行動を繰り返す。
叱ることは、悪い習慣を身につけさせる
最高のトレーニングなのだ。

60

子供がたまたま鼻に手をやっただけで親が子供を叱ります。「鼻をほじってはいけません」すると子供は必ず次も鼻をほじります。「ダメだって言ったでしょ！」母親がその度に叱ります。すると鼻ほじりは確実に子供の悪い習慣として根付きます。それは子供が勝手に習慣を身につけたのではありません。母親が叱ることを通じて子供に鼻ほじりという習慣を身につけさせたのです。

叱ることは悪い習慣を身につけさせる最高のトレーニングであり、最も効果的な方法です。子供は親が注目することを繰り返します。子供は親から評価され、ほめられるという正の注目を得られないと、今度は叱られるという負の注目を集めようとします。子供にとって親から無視されることは最も避けたいことです。無視されるくらいなら叱られる方がはるかにましです。ですから、親から叱られると子供は喜ぶのです。そして、叱られるために、鼻ほじりを繰り返します。これは何も親子間に限ったことではありません。

もしも相手の問題行動をやめさせたいのであれば、問題行動を見つけたとしても注目せず叱らないことです。そして、問題行動をしていない時に、適切な行動の方に注目し、認めるのです。問題行動に着目するのは逆効果です。そうではなく、わずかであったとしても正しく適切な行動に着目する。それが教育者の取るべき正しいスタンスなのです。

他人と比較してはいけない。
ほんのわずかでも、できている部分を見つけ、
それに気づかせることが重要だ。

61

「隣のA君を見なさい！　あんなにいい子にしているでしょ！　それに比べてあんたはなんてお行儀が悪いの！」「妹のBちゃんはあんなにおとなしくしているでしょ！　あんたはお兄ちゃんなのにお行儀が悪い。Bちゃんを見習いなさい！」

私たち親は子供に何かを教える際に、周囲の子供やきょうだいを例に取り、比較をしがちです。それにより、見本を示すと共に、間違いに気づかせ、懲らしめる効果を狙うのです。しかし、これがうまくいくことはありません。比較されることにより、子供は自信を失い傷つきます。そして劣等感を肥大化させ、間違った方向で劣等感を補償しようと試みます。多くの場合、それは問題行動となります。つまり、親が子供を比較することにより、問題行動がなくなるのではなく、むしろ問題行動を増やしてしまうことになるのです。そして、この問題は親子間に限ることではありません。先輩と後輩、上司と部下の間においても同じことが起きます。その場合も周囲の人と比較すべきではないのです。

もし正しい例を示したいのであれば、本人の中にある、ほんのわずかでもできていることを見つけ、それに気づかせることが大切です。たとえわずかであったとしても、できていることを示し、それを認め、さらに増やすよう要望するのです。比較をするのなら、過去の相手と現在の相手を比較することです。相手の「自己ベスト更新」をほめるのです。

人は失敗を通じてしか学ばない。
失敗を経験させ、
自ら「変わろう」と決断するのを見守るのだ。

62

アドラー心理学における教育では「結末を体験させる」ことを重視しています。もしも子供が片付けをしようとしない場合であれば、叱ったり脅したりして無理矢理片付けさせても、子供は片付けを覚えないでしょう。そうではなく、叱らずに放っておく方が効果的です。子供は片付けなかったことにより、自分がほしいおもちゃを探すことに苦労するでしょう。そして、片付けておく方がはるかに探すのがラクであることを学習するのです。

しかし、おもちゃを出しっ放しにしておくことは、大人にとってもストレスにつながります。そんな時は、大きな箱を一つ用意し、子供が散らかしたおもちゃや洋服を片っ端から箱に投げ入れておけばいいのです。これにより、床の上はスッキリし、大人のストレスはなくなるでしょう。そして、ごちゃごちゃなまま箱に入れられたおもちゃを探すのに子供は苦労し、そこから片付けの重要性を学ぶことでしょう。

この「結末を体験させる」という手法は子供の教育に限らず、大人にも当てはまる法則です。人は失敗から学びます。ですから、リスクがあることもどんどん任せることが大切です。一度や二度の失敗を恐れて何もさせないよりも、わざと失敗させるくらいの気持ちが重要です。できるようになってから任せるのではなく、任せるからできるようになる。アドラーの教えは大人に対する教育にも通用するのです。

罰を与えるのではない。
結末を体験させるのだ。
子供が食事の時間になっても帰ってこなければ、
一切叱らずに食事を出さなければよい。

夕食の時間を18時と定めたにもかかわらず、遊びほうけて遅くなって帰る子供がいます。母親はその度に食事を温め直し、二回も洗い物をしなければなりません。しかし、子供はそんなことなどおかまいなし。平気で遅れてくるのです。そんなとき、多くの母親は子供を叱りつけ、なすすべなく途方に暮れます。しかし、結末を体験させれば、子供は強制しなくても自分の意思で戻ってくるようになるでしょう。

アドラーの高弟ルドルフ・ドライカースはそんな母親に対して次のようにアドバイスを送っています。「『食事の時間を守らなければ食事は出しません』。このように子供と約束をし、それを守ればいいのです。子供が遅く帰ってきて『お母さん、ご飯は?』と聞いたら、『残念ね。遅れてきたから出せないわ』と答えればいいのです」

これは先に示した自然の結末とは異なる論理的結末を体験させる、という方法です。これは子供だけでなく、大人に対しても有効な方法でしょう。例えば、納期を守れなければ担当を替わってもらう、など応用が可能でしょう。ただし、この約束が理不尽なほど厳しい場合、相手はこれを約束と思わず「罰である」と思うでしょう。また、結末を体験させるときにクドクドと嫌味を言ってはいけません。それも「罰」になってしまうからです。罰を与えるのではなく、結末を体験させて気づかせる。それがアドラーの教育なのです。

「この子は言葉を覚えるのが遅いので……」
と母親が子供の通訳を買って出る。
すると子供は、自分で話す必要がなくなり、
本当に言葉が遅くなるだろう。

64

親が子供に苦労をかけまいと子供を助けることがあります。しかし、それが結果的に子供を甘やかすこととなり、子供の教育の妨げとなるのです。母親は子供に優しく接する必要があります。しかし、優しくするのと甘やかすのは違います。甘やかす、とは子供が自分で何かをなし遂げるチャンスを奪うことです。「あなたにはできないでしょ。だから私が代わりにやってあげる」と母が成長と学習のチャンスを奪うのです。「この子は私がいないと何もできないの……」と子供を自分に依存させ、それにより自分の存在意義と価値を高めます。そして、結果として子供を「親なしでは何もできない」依存的な子供にしてしまうのです。もちろん、これは親子以外にも当てはまります。部下に苦労をかけまい、と甘やかす上司のもとでは、部下は一人では何もできないようになることでしょう。

教育とは相手が一人で課題を解決できるようにすることです。決して相手を甘やかすことではありません。甘やかしは相手をパラサイト＝寄生動物に仕立て上げてしまいます。甘やかされた相手は自力で問題を解決しようという意欲を失います。その結果、一人で課題を解決する能力も育ちません。ですから、親は子供に一人で課題を解決させる機会を与えなければなりません。親がすべきは子供の課題を肩代わりすることではなく、子供が一人で課題を解決できるよう勇気づけることだけなのです。

人の育て方に迷った時は、自分に質問をするのだ。
「この体験を通じて、相手は何を学ぶだろうか？」と。
そうすれば、必ず答えが見つかるだろう。

65

たとえば子供と次のような約束をしたとします。「後片付けをしなければ次の日はおもちゃで遊ばない」と。子供もそれに同意し約束を交わしました。しかし、前日に後片付けをしなかった子供は次の日、おもちゃで遊べないことに腹を立て、泣きわめきます。周囲には人がおり、泣き声は周りの人へ迷惑になっています。あなたは子供との約束を破って、おもちゃを与えて静かにさせようか、と迷っています。さて、どうしますか？

そんな時、自らに対してこう質問をしていただきたいと思います。「相手はその体験を通じて何を学ぶだろうか？」と。このケースの場合、もしも約束を破りおもちゃを与えたとしたら、おそらく子供はこう学ぶでしょう。「約束を破っても、泣きわめけば許してもらえる」と。この親の対応は子供に間違った考え方を植え付けてしまうのです。ですから、この場合、おもちゃを与えてはいけません。そして、叱らずに子供に笑顔で話しかけるのです。「遊べなくてお母さんも残念よ。だから、この次は一緒に後片付けをしようね」と。

この方法は、相手が大人であっても通用する普遍的な法則です。私たちは人を育てる判断に迷った時、自らに問いかける必要があります。「この体験を通じて相手は何を学ぶだろうか？」と。そうすれば私たちは自分がどう振る舞うべきか、その答えを見つけることができるでしょう。

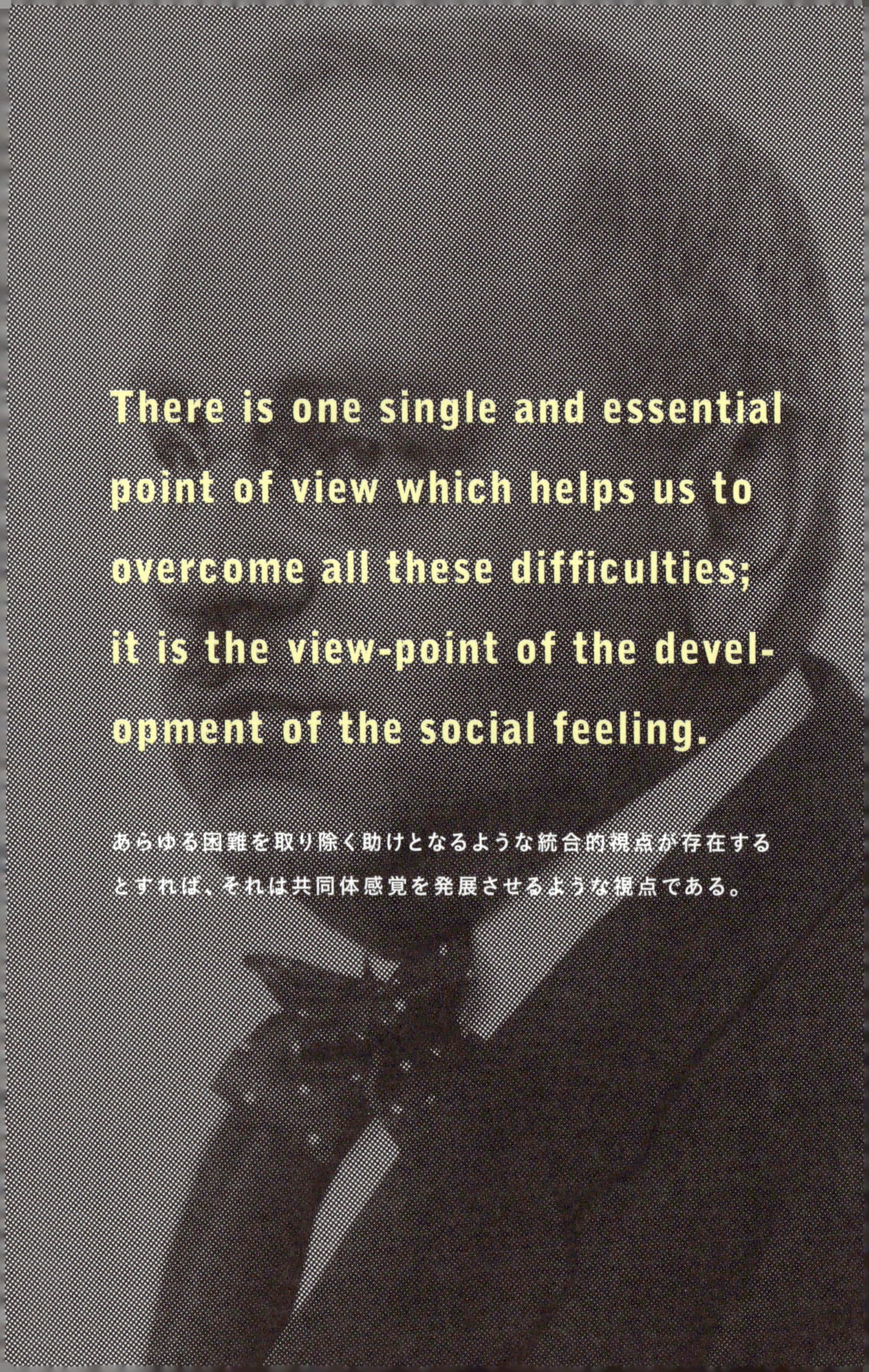

There is one single and essential point of view which helps us to overcome all these difficulties; it is the view-point of the development of the social feeling.

あらゆる困難を取り除く助けとなるような統合的視点が存在するとすれば、それは共同体感覚を発展させるような視点である。

幸せになる唯一の方法は他者への貢献

「共同体感覚」に関するアドラーの言葉

自分だけでなく、仲間の利益を大切にすること。
受け取るよりも多く、相手に与えること。
幸福になる唯一の道である。

66

アドラーおよび彼の高弟ルドルフ・ドライカースらは「共同体感覚」を持つことの大切さを繰り返し述べました。なぜならば、それこそが悩みから解放され、幸せになる唯一の道だからです。そして、共同体感覚とは「他者に対する貢献」により形成されると言いました。社会の中で居場所がないことは大変悲しいことです。しかし、泣き言を言っても誰も助けてはくれません。そうではなく、自ら居場所をつくるのです。そのためには「他者へ貢献する」ことから始めなくてはなりません。そのことにより、他者から感謝され、そして他者からもお返しとして支援され、社会の中に居場所をつくっていくのです。

このように、アドラーの提唱した共同体感覚には、キリスト教などの宗教、および現代の自己啓発理論と極めて近い概念が含まれています。そのため、アドラー心理学は、それまでの心理学者から「科学的ではない」と批判を受けました。しかし、健全な対人関係すなわち健全な人生を送るためには共同体感覚が不可欠です。そして、現代の心理学では、アドラーの概念はすでに「常識」となっています。「アドラーの理論は世の中よりも1世紀早すぎた」と言われる所以がここにあります。

「自分の居場所がない」と感じるのなら、「周りの人が自分をわかってくれない」と愚痴るのではなく、自分から周囲に貢献するのです。そうすれば必ず居場所ができるはずです。

誰かが始めなくてはならない。
見返りが一切なくても、誰も認めてくれなくても、
「あなたから」始めるのだ。

67

アドラー以前の心理学に大きな影響を与えていたジークムント・フロイトの論理はアドラーと異なっていました。「なぜ隣人を愛さなければいけないのか」「私の隣人は私を愛してくれるのか」と、常に甘やかされて育った子供のような理論を展開しているのがフロイトの心理学だったのです。一方で、アドラーは成熟した大人の論理を展開しました。

「『なぜ隣人を愛さなければいけないのか』『私の隣人は私を愛してくれるのか』と尋ねる人は協力する訓練ができておらず、自分にしか関心がないことを露呈している。人生におけるあらゆる失敗の原因は、自分のことしか考えていないことにある」と述べたのです。

さらにアドラーは自らが提唱する共同体感覚とほぼ同じようなメッセージを、様々な宗教が発信していることにも言及しました。「人々が協力しあうことを最終目標としているあらゆる活動や努力に私は賛同する。このような考え方に価値があることが、今や科学的に確認できるようになったことは興味深い」と。

アドラーの教えはキリストの教えと近いものがあります。「誰かが始めなくてはならない。他の人が協力的でなくても関係ない。あなたが始めるべきだ」。つまり「隣人があなたを愛してくれなくても、あなたから愛しなさい」と述べているのです。この一文は、すべての苦しみから抜け出すための神髄を述べているように私には感じられます。

「他者は私を援助してくれる」

「私は他者に貢献できる」

「私は仲間の一員である」

この感覚がすべての困難からあなたを解放するだろう。

68

「共同体感覚」はアドラー心理学の中核とも言える考え方です。「アドラー心理学の実践上の目標は、『共同体感覚』の育成であり、『共同体感覚』が発展されればすべての困難から解放される」とアドラーは言っています。そして、その「共同体感覚」は、以下の3つにより構成されています。

①周囲の人は私を援助してくれる＝他者信頼　②私は周囲の人へ貢献できる＝自己信頼
③（その結果として）私は共同体に居場所がある＝所属感、の3つです。

さらに①の他者信頼と②の自己信頼は相互因果関係にあります。①他者は私を援助してくれる、と感じるからこそ、私は貢献できるのです。もし、周囲の人が私にとって敵である、と感じていたならば、おそらく私は恐怖のあまり貢献に踏み出すことが難しいでしょう。なぜならば、親切で行ったことを拒否されたときに、私は大いに傷つくからです。

逆もまた真なりです。つまり②自分は他者に貢献できる、と感じていれば、私は自信を持って他者に貢献できるのです。もしも、自己信頼がなく、自分なんて人に貢献することはできない、と思っていたとしたら、貢献に踏み出すことはできないでしょう。

では、①も②もない人はどうすればいいのでしょうか。答えは先に述べた通り。あなたから始めるのです。見返りを求めず、承認も求めず。そこから始めるのです。

自分のことばかり考えてはいないだろうか？
奪う人、支配する人、逃げる人、
これらの人は幸せになることができないだろう。

69

アドラーは1933年に以下のようなタイプ分けを発表しました。「共同体感覚」が高い人、低い人という軸に、活動性の高い、低いという軸を加え、4つの象限で分類したのです。どちらも高い人が「社会的に有用な人」。このタイプが健全であると考えました。また、共同体感覚が高くて活動性が低い人はいない、としました。共同体感覚が高ければ必ず活動を伴うはずであるからです。そして、共同体感覚が低い人をさらに2つに分けました。

一つは活動性が高い人です。この人は周囲の人を「支配する人」になります。「相手よりも自分を優先した」活動を「大いに」行う。まさに支配的な姿が目に浮かんできます。このままでは周囲から人が離れていき、人生は決してうまくいかないでしょう。

もう一つは共同体感覚も活動性も共に低いタイプです。この「相手よりも自分を優先し」「活動をしない」タイプは2種類に細分化されます。一つは「相手から奪う人」（Getter）です。人から何かをしてもらうことを当然と思い、感謝しません。さらに自分を支援しない人を恨み怒るのです。このような姿勢では対人関係も人生もうまくいくはずがありません。

もう一つのタイプは「世の中から逃げる人」です。共同体感覚の低さゆえにうまくいかない対人関係を面倒に思い、人と会わず引きこもるのです。神経症患者もここに分類されます。私たちは共同体感覚を高める以外に決して幸せな人生を送ることはできないのです。

人は居場所がないと感じると
精神を病んだり、アルコールに溺れたりする。
他者に貢献することで居場所を確保すればよい。

70

犯罪者、精神病者、アルコール依存症、性的倒錯者、自殺する人——。一見すると、それぞれにまったく違った問題を抱えているように見える人たち。しかし、アドラーは彼らの問題の根は一つだ、と喝破しました。それこそが「共同体感覚」の低さ。相手よりも自分のことを優先するがゆえに、相手から支援されているという実感を持てず、社会的に孤立する。居場所がない、と感じてしまい、その補償行動として、それぞれの問題行動を起こす、と定義をしたのです。そして、アドラーはこう言い切りました。「共同体感覚があり発展されれば、すべての困難から解放される」と。

犯罪者は社会を欺き、警察を愚弄することで優越感を得ます。それは、共同体感覚の低さゆえに起きる社会での居場所のなさを埋めるための行動となります。精神病者は周囲から哀れに思われ、「病気だからできなくて仕方がない」と免罪符をもらい、「病気でなければできるのに」と言い訳を手にすることができます。それは共同体感覚の低さゆえの居場所のなさを埋めてくれるでしょう。このように、様々な問題行動は、本来であれば共同体感覚を高めることによりごく自然に手にすることができるはずの「社会での居場所」を手にすることができない人たちによる必死の挽回行動なのです。しかし、これらにより彼らが手にするのは「本当の」居場所ではありません。そのため必ず行き詰まってしまうのです。

「仕事で敗北しませんでした。
働かなかったからです」
「人間関係で失敗しませんでした。
人の輪に入らなかったからです」
――彼の人生は完全で、そして最悪だった。

71

失敗や敗北を避けるための最も確実な方法は、チャレンジをしないことです。会社でライバルに負けることを避ける一番の方法は、会社に勤めないことです。恋愛において、異性からふられることを避ける一番の方法は、告白をしないことです。人の輪に入らなければ、傷つくことはない。人間関係で傷つくことに比べれば、一人でいる淋しさの方がましだ、と判断し、そのようにしているのです。

しかし、人は人の中でしか幸福を感じることはできません。誰一人いない無人島で豪華な車に乗り、大きな家に住んでも幸福は感じられません。仕事の課題、交友の課題、愛の課題。人生は課題の連続です。その課題に勇気を持って挑戦し、克服することで初めて幸福は訪れます。そして、その課題を克服するために必要なのは、困難を克服する活力。すなわちガソリンたる「勇気」と、その方向づけとなる「共同体感覚」です。それさえあれば、あらゆる課題は必ずや解決可能なのです。

仕事の課題は直接、間接を問わず顧客に対する貢献でしか解決できません。交友の課題は友人に対する貢献と友人への信頼がなければ解決できません。愛の課題は、その二つに必要なことをそれ以上に深く行うことで初めて解決可能です。すると、それぞれの場において所属感という居場所が見つかります。そして心の平穏が訪れるのです。

相手の権利に土足で踏み込んではならない。
権利を尊重し、自分で決めさせるようにすれば、
人は、自分を信じ、他人を信じるようになるだろう。

72

親と子。上司と部下。先輩と後輩。たとえ上下関係があったとしても、それをもとに相手の権利に土足で踏み込めば必ず対立が起きます。親が子供に命令して部屋を片付けさせようとすれば、子供は親の言いなりになるまい、と意固地になって片付けを拒否します。その時起きているのは、どちらがより力を持っているかを示し合う親子間の権力闘争です。それと同じことが上司と部下、先輩と後輩の間でも起きていることでしょう。

強制すると対立と権力闘争が起きます。そうではなく、相手に自分で決めさせ、相手の権利を認めると、対立が消え、相手は冷静に判断できるようになります。そして、冷静に考えて片付けが必要であれば、自分の意思で片付けるようになるでしょう。

このように、強制と対立を繰り返していると相手の共同体感覚は育ちません。叱られ強制されることで劣等感が強まり、自己信頼がなくなります。そして、強制してくる相手を敵だと思い、他者信頼がなくなります。その結果、社会での居場所もなくなるのです。

一方で、親や上司が子供や部下に自分で決めさせて、相手の権利を尊重するようにすれば、子供や部下は徐々に自己信頼と他者信頼を形成していくでしょう。その結果、家庭や組織や社会に居場所を見つけるようになっていく。共同体感覚を学び始めるでしょう。共同体感覚を養う第一歩は強制をやめること。人から尊重される体験を増やすことなのです。

「よくできたね」とほめるのではない。
「ありがとう、助かったよ」と感謝を伝えるのだ。
感謝される喜びを体験すれば、
自ら進んで貢献を繰り返すだろう。

親や教師が子供の「共同体感覚」を高めるためには、自己信頼と他者信頼の体験を積ませることから始めなくてはなりません。具体的には、子供に協力を求め、それに対して感謝の言葉を伝えるのです。

感謝されれば誰でも嬉しいものです。そして、自分が行った貢献に対して感謝が返ってきたときに初めて人は自己効力感が満たされ、自己信頼を感じます。同時に相手に対しても信頼感を持つ。すなわち他者信頼も芽生えるのです。

「感謝する」のと「ほめる」のは違います。例えば、子供が片付けのお手伝いをした時に「ありがとう。とっても助かるよ」と言うのと、「偉いね。よくできたね」と言うのでは、受け取る際の印象が違うことがおわかりでしょう。「感謝」は横から目線。「ほめる」は上から目線です。現に、新入社員が社長に対して「よくできたね」とほめることはしないでしょう。それをされたら社長はむっとするはずです。なぜならば「ほめる」は上から目線であり、なおかつ相手に対して「期待していない」ことが前提だからです。

上から目線で「ほめられる」よりも横から目線で「感謝される」ことが自己信頼と他者信頼には、はるかに有効です。貢献と感謝の体験を増やすことが共同体感覚を養う上で最も大切なことなのです。

苦しみから抜け出す方法はたった一つ。
他の人を喜ばせることだ。
「自分に何ができるか」を考え、それを実行すればよい。

74

神経症、不眠症で悩む患者が問いました。「どうすればこの苦しみから抜け出すことができるでしょうか?」アドラーは答えました。「他の人を喜ばせることです。『自分に何ができるだろうか? どうすれば他の人に喜んでもらえるだろうか?』と考え、それを行動に移すことです。そうすれば、悲しい思いや不眠はなくなり、すべてが解決するでしょう」

解説者の私はこれを実践するために手帳を活用しています。毎日手帳を眺めながら、周囲の人に喜んでもらうためにできることをリストアップし、それを一つずつ実践するように心がけているのです。手帳には周囲の人の分類が書かれています。「家族」「友人」「同僚」「顧客」。そして、毎朝、思いついた「相手を喜ばせる方法」をリストアップしていき、できる範囲からそれを実行しているのです。相手を喜ばせ、感謝の言葉をもらうほど幸福感を感じることはありません。そうすれば社会の中に居場所を見つけることができ、共同体感覚は高まっていくでしょう。

また、小さな徳を積むことも有効です。例えば道に落ちている空き缶を拾って捨てる。お年寄りに座席を譲る。エレベーターで他の人に先を譲る。楽しい会話の席で自分ばかりがしゃべらずに、周囲の話に相づちを打つ役割にまわる、など。自分よりも相手を大切にすると、共同体感覚は高まります。そして、幸福へとまた一歩近づくのです。

自分と違う意見を述べる人は
あなたを批判したいのではない。
違いは当然であり、だからこそ意味があるのだ。

共同体感覚を高める、ということは、キリスト教でいうところの「隣人愛を持つ」ことに似ている、とアドラーは言いました。そして隣人愛を持つということは、「隣人が私を愛してくれるから、私も隣人を愛する」のではなく、「隣人が私を愛してくれなくても、私から隣人を愛する」つまりは、見返りを求めない愛を持つことに他なりません。

しかも、見返りを求めないだけでなく、自分と違う意見、価値観を許容しなければなりません。「自分と同じ意見、価値観を持っている人だけを愛する」のでは、共同体感覚を高めることは不可能です。人の価値観は十人十色。意見は違って当然だからです。

私たちは自分と違う意見を耳にすると、あたかも自分が非難されているかのように感じ、不快感を持ってしまいます。そして、自分と違う意見に対抗して、競争的な対応を取ってしまいがちです。しかし、それでは共同体感覚を高めることはできません。そうではなく、自分と違う意見を非難と受け止めず、許容するのです。違っていい。違う意見があるからこそ意味があるのだ、と思うのです。同様に、自分の意見を相手に押しつけてはいけません。相手が自分と違う意見を持つことを許容する。違いがあって当然と受け止めるのです。このような考えを持つことができれば、共同体感覚は自然と高まっていくでしょう。その結果、自分の居場所を確保できるようになる。幸せに一歩近づくことができるようになるのです。

自分の不完全さを認め、受け容れなさい。
相手の不完全さを認め、許しなさい。

76

自分と異なる意見を許容し、自分の意見を相手に押しつけない。それが共同体感覚を高める具体的な方法である、と先にお伝えしました。それと同様に、相手と自分の不完全さを認めること。それも共同体感覚を高めるために不可欠な具体策です。

私の友人のAさんは、Bさん夫婦の結婚を祝う食事会の席で、礼儀をわきまえずに騒いでいる友人たちに強い怒りを覚えたと言いました。本来であれば、夫婦を主役にして自分たちは聞き役にまわるべきである、とAさんは考えました。しかし、他の友人たちはそんなことに気がまわらず、大いに盛り上がっていたらしいのです。Aさんは、彼らに注意をしました。ところが、彼らは「ハイハイ」と受け流し、一向に改める様子はありません。Aさんは、非常識な彼らを軽蔑し睨みつけました。彼らを責めることでやめさせようとしたのです。

Aさんの配慮は素晴らしいと思います。しかし、その配慮を他の友人に強制することは共同体感覚に反すると言えるでしょう。配慮が足らずどんちゃん騒ぎをする友人たちは不完全な人間です。けれども、そんな彼らを睨みつけるAさんもまた不完全。お互い様です。であるならば、不完全な彼らも自分も許すべき。それなしに共同体感覚を高めることはできないでしょう。不完全でいいのです。だからこそ人間臭い。だからこそ愛らしい。そんな度量の広さをいつも持ち合わせていたいものです。

「信用」するのではなく「信頼」するのだ。
「信頼」とは裏付けも担保もなく相手を信じること。
裏切られる可能性があっても相手を信じるのである。

77

「信用○○」と聞いて、何を連想するでしょうか？ 「信用取引」「信用金庫」など、金融上の取引を連想する方が多いのではないでしょうか。では、質問です。「信用」という言葉を「信頼」に置き換えてもそれは成立するでしょうか？ 「信頼取引」「信頼金庫」など。おそらくはピンと来ないのではないかと思います。

なぜピンと来ないかというと、「信用」と「信頼」は明確に違うからです。「信用取引」とは、その人の預金残高や保有資産、過去の取引実績、担保など、何かしらの「裏付け」があって初めて取引を行うものです。つまり、「信用」とは裏付けや担保と引き替えに相手を信じることなのです。

しかし、「信頼」は違います。「信用」とは逆に、一切の裏付けや担保もなく相手を信じることを「信頼」と呼ぶのです。裏付けがない、ということは、相手に裏切られるかもしれない、ということです。そうです。それでも信じる。それが信頼です。

アドラーの提唱した共同体感覚は、「信頼」をベースにしています。自己信頼と他者信頼は共に、裏付けなく、裏切られる可能性があっても信じることから始まります。相手を疑っているうちは、信頼関係は築けません。無条件に信じるのです。そして、信頼関係もまたあなたから始めるのです。それが幸福になる道、共同体感覚を高める方法なのです。

「自分は役立っている」と実感するのに、
相手から感謝されることや、
ほめられることは不要である。
貢献感は「自己満足」でいいのだ。

78

共同体感覚を高めるためには「貢献感」を感じ、自己信頼を高めることが不可欠です。しかし、だからといって感謝されることや、ほめられる必要はありません。たとえ全員から無視されたとしても「貢献感」を感じることは可能なのです。

それは一種の自己満足です。「自分は正しいことをした。誰からも認められないが、誰かの役に立つことができた」。そのように自分一人で感じることが、最も正しい「貢献感」の感じ方なのです。相手からの感謝や評価がないと貢献感を感じることができないとしたならば、あなたは常に相手に依存していることになります。相手がほめてくれなかったら、相手に怒りを感じるでしょう。そして感謝を求めてしまうでしょう。それは、本物の貢献感ではありません。本物の貢献感は、相手に依存しない、自己満足でいいのです。

「人を相手にせず天を相手にせよ。天を相手にして己を尽くし、人をとがめず我が誠の足らざるを尋ぬべし」西郷隆盛の言葉です。人から認められることや感謝されることを求めずに天＝人としての正しい道だけを見て行動しなさい、というメッセージはアドラーの教えに通ずるものがあります。また、儒教の古典『大学』の中には「慎独（しんどく）」という言葉があります。これもまた、人の目を気にせずに、誰も見ていなくても正しいことをし続ける、という意味です。幸福に通ずる道は東西共通なのだとわかります。

判断に迷った時は、
より大きな集団の利益を優先することだ。
自分よりも仲間たち。
仲間たちよりも社会全体。
そうすれば判断を間違うことはないだろう。

79

アドラーが提唱する共同体感覚における共同体とは、ある特定の組織を指しているのではなく、抽象的な概念でしかありません。ですから、それを日常に当てはめて具体的に考えた時に「自分個人よりも会社を優先すればいいのだろうか?」などと迷いが生じる時があるでしょう。しかし、抽象的概念である共同体は会社だけではなく、家族や地域社会、さらには国家や世界、動植物を加えた宇宙なども当てはまります。そして、それぞれの利益を考えた時、答えが異なってくることがあるでしょう。

例えば、企業の商品に不具合があった場合、それを広く社会にオープンにし回収すれば、企業には一時的に大きなダメージがあるでしょう。回収費用や在庫廃棄による直接的な損失に加え、信用の失墜もあり、売上、利益は大きくダウンするだろうからです。そこで企業は公開をためらうでしょう。しかし、企業ではなく、より大きな社会全体の利益を考えれば、少しでも早く事実をオープンにすべき、とすぐにわかるでしょう。

このように、個人、会社、社会など、それぞれの共同体における利益・不利益が異なる場合、私たちはより大きな集団の利益を優先すれば判断を間違うことはない。アドラーはそう訴えました。それこそが真の意味での共同体感覚であるのです。自分一人の利益だけを考えてしまっては判断を間違ってしまうのです。

理不尽な上司や学校の先生に、
むりやり認めてもらう必要はない。
市場価値の高い人間になればいい。
より大きな共同体で考えればいいのだ。

80

共同体感覚を高めることが幸福になる唯一の道である。そう考えると、自分の考えを捨てて、上司や会社などに迎合することが必要なのではないか、と誤解をする人がいます。そして「私には理不尽な上司がいます。彼に認めてもらうよう、間違ったことをやらなければならないのでしょうか」と言う質問をよく受けるのです。私は答えます。「そんな必要はありません。違うと思うことには違う、と答えて下さい」と。理不尽な上司や先生に異を唱えるのは決して共同体感覚に反することではないのです。

先に学んだ通り、共同体とは会社や学校だけでなく、広く国や世界を含みます。そして、判断に迷ったときは、より大きな共同体を軸に考えればいい、とアドラーは言いました。先の例で言うならば、理不尽な上司や先生に認めてもらう必要などありません。そうではなく、世の中全体に認められるような自分になることです。よその会社から「引く手あまた」なあなたになればいいのです。もしも、あなたが異を唱えて会社や学校を追われてしまうようならば、はじめからそのようなところにいる必要はなかったのです。

ただし、私たちは目的論で考えることを忘れてはなりません。もしかしたら、理不尽に思えるのは、あなたが会社や学校を辞めてしまいたい、という「目的」が先にあるからかもしれません。そこに気をつけた上で、冷静に共同体を判断していただきたいと思います。

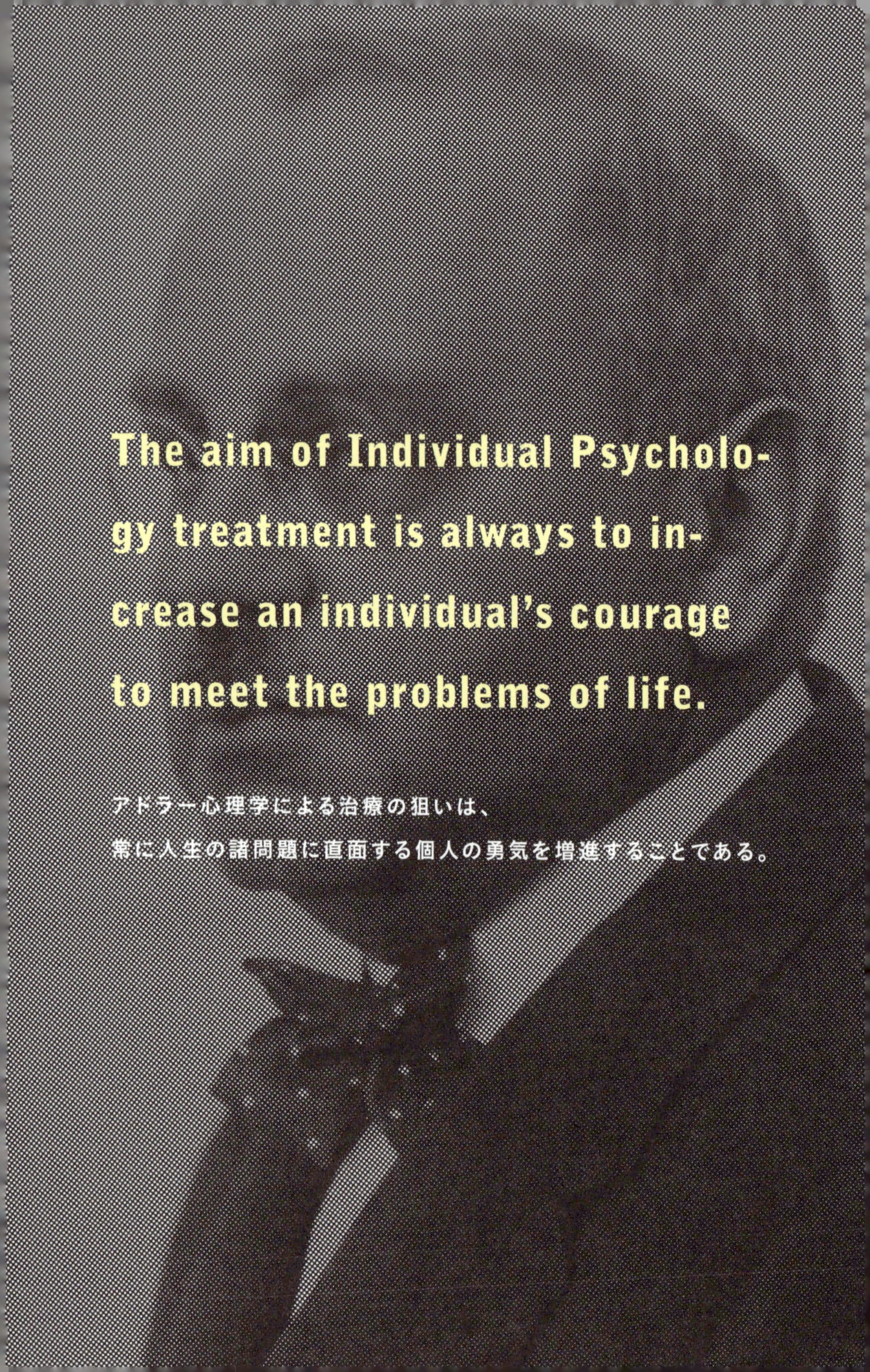

The aim of Individual Psychology treatment is always to increase an individual's courage to meet the problems of life.

アドラー心理学による治療の狙いは、
常に人生の諸問題に直面する個人の勇気を増進することである。

困難を克服する勇気を持て

「勇気」に関するアドラーの言葉

「勇気」とは困難を克服する活力のことだ。
勇気のない人が困難に出合うと、
人生のダークサイドへと落ちていってしまうだろう。

81

人生に困難はつきものです。仕事の課題、交友の課題、愛の課題。それぞれにおいて、次々と困難は押し寄せてきます。そして、困難により私たちの共同体感覚は試されます。余裕のない時にでも「相手を思い、相手を優先する」共同体感覚を持てるかどうか。私たちは日々試されているのです。

そのような困難を克服する活力を、アドラーは「勇気」と呼びました。勇気があれば、共同体感覚を放り投げずに持ち続けたまま困難を解決していくことができる。しかし、勇気が足りなければ、困難を乗り越える活力を持てず逃げ出してしまう。共同体感覚を投げ出して、ラクな道、人生のダークサイドへ逃げてしまうのです。それは、犯罪者になることであり、アルコール中毒や薬物中毒者になることであり、神経症や精神病になることです。

誰にでも訪れる困難に出合った時、人は大きな分岐点に立つことになります。その困難に立ち向かい、共同体感覚を持ったまま問題を乗り越えるのか。それとも、共同体感覚を放り投げて逃げだし、ダークサイドに落ちていくのか。それを分けるのが「勇気」の有無。「勇気」の有無こそが人生を決めるのです。

さて、私たちはどれほどの「勇気」を持っているでしょうか？　そして周囲の人に「勇気づけ」をできているでしょうか？

人は「貢献感」を感じ
「自分に価値がある」と思える時にだけ
勇気を持つことができる。

82

アドラーは自らの体験に重ね合わせて以下のように話しました。

「私は自分に価値があると思える時にだけ勇気を持つことができる」

「そして、私に価値があると思えるのは、私の行動が周囲の人たちにとって役に立っていると思える時だけである」

つまり、人は、自分が誰かに貢献できている、と思える時にだけ勇気が持てるのです。

そう考えると、私たちが周囲の人を勇気づけるために何をすればいいのかがわかってきます。周囲の人の行動に対して「ありがとう」「あなたがいてくれて助かった」そう伝えることこそが、周囲の人に対する勇気づけになるのです。

アドラーが最も大切にしている「共同体感覚」と「勇気」。そのいずれもが本人の「貢献」から始まります。しかし、勇気を失った人は貢献するだけのエネルギーが枯渇しているかもしれません。そんな相手に対して周囲の人間ができる「勇気づけ」は、たとえて言うならば飛行機のプロペラをブルンと手で回す行為に似ているかもしれません。周囲の人間が手でプロペラを回してはずみをつけてあげる。「ありがとう」「あなたのお陰だよ」と伝え、プロペラをブルンと回す。それを繰り返すうち、自分の力でプロペラが回り始める。自分から貢献を行い、自分の内面で「ありがとう」を感じることができるようになるのです。

他人の評価に左右されてはならない。
ありのままの自分を受けとめ、
不完全さを認める勇気を持つことだ。

83

「勇気とは共同体感覚の一側面である」とアドラーは言いました。勇気とは、困難な場面でも「相手を思い」「相手を優先する」ことを放棄せずに問題を解決していく活力のことです。一方で勇気のない人は、困難に出合うと「相手よりも自分のことばかりを優先」します。共同体感覚を放り投げてしまうのです。

自分のことばかりを考えている人、すなわち勇気を持てない人は、他人の評価を気にします。相手への貢献よりも、自分がどのように見られるかを気にするからです。勇気がある人は他人の評価を気にしません。誰からもほめられず認められなくても、自分が相手に貢献できていることそのものに満足を感じるからです。

勇気づける、ということは、相手が他人の評価を気にせずに、自分を実際よりも良く見せかけようとしないようにすることです。「人からどう思われるかなんて関係ない」「ありのままのあなたでいいのだよ」と気づかせることが勇気づけなのです。それは、不完全な自分を認める勇気を持たせることにも通じます。

そのためには、「あれができればあなたを認める」「これができなければあなたを認めない」のように、相手がすることに条件をつけないことです。ありのままの相手をそのまま受け容れ認めるのです。それが勇気づけになるのです。

ほめてはいけない。
ほめることは「あなたは私よりも下の存在だ」
「どうせあなたにはできっこない」と
相手に伝えることに等しいからだ。

84

10冊以上の著作を持つ作家であり、研修講師である友人はある日、読者の方から「文章が上手ですね」とほめられ、強い違和感を感じた、と言いました。なぜならば、ほめるという行為は前提として「どうせできっこないだろう」という予見があるからです。当たり前のようにできると思っていたならば相手をほめません。だからほめられることは「あなたはできない人なのに、よくやったね」と言われているようなものなのです。また、ほめる、ということは上から下への目線、上下関係にもつながります。相手から下に思われて気持ちがいい人はいません。だからこそ、ほめるという行為は、自立しようとしている相手に対してマイナスに働くことになるのです。

ほめることは上から目線です。勇気づけは横から目線です。先の例でいうならば、もし読者の方が私の友人をほめるのではなく、勇気づけようとするならば「文章が上手ですね」ではなく、「本を読んで心がラクになりました。ありがとうございました」と感謝をしてくれればよかったのです。おそらく私の友人はそれによって貢献感を感じることができるでしょう。そして、困難に立ち向かう活力を補充してもらえることでしょう。子育てや企業での人材育成にも、この考え方は当てはまります。ほめるのではなく勇気づける。上から目線ではなく横から目線で。それが勇気づける、ということなのです。

失敗や未熟さを指摘してはいけない。
できないからといって取り上げてもいけない。
相手の勇気を奪ってしまうからだ。
自ら困難を克服する機会を奪ってしまうのだ。

相手の失敗や未熟さに対して「違う、違う!」と間違いを指摘したり、「私がやるから、もういいよ!」と取り上げることは、勇気くじきの代表的な方法です。

実際に相手のやっていることが未熟で間違っていたとしても、それを指摘した瞬間にそれは勇気くじきになってしまいます。指摘により、相手は自らの無能さと劣等性を思い知らされるからです。そして、問題を指摘した本人は、知らず知らずのうちに自分が優れた存在であることを相手に見せつけ、優越感を感じます。その結果、相手は勇気、すなわち困難を克服する活力を失ってしまうのです。

相手ができないのは、現段階ではまだ能力が不足しているからです。しかし、能力不足と相手の価値とは何の関係もありません。できないからといって、あたかも相手が自らの価値を否定されたと感じるような言葉を使うことは避けなければなりません。また、能力不足もあくまでも現段階のものであり、将来できるようになる可能性は十分にあります。しかし、相手の勇気をくじくことは、相手がその可能性にチャレンジしようとする活力に冷や水を浴びせることに等しいのです。

私たちはついつい意識しないままに勇気くじきをしてしまいがちです。しかし、勇気づける前に、まず勇気くじきをなくすことが重要です。それが勇気づけになるのです。

人の心理は物理学とは違う。
問題の原因を指摘しても、勇気を奪うだけ。
解決法と可能性に集中すべきなのだ。

86

「学校で勇気をくじかれない子供は一人もいない。そして、学校と教師は、勇気をくじかれた子供の自信を回復させることができる」とアドラーは述べています。

勇気をくじく行動とは、相手の問題探しをしてダメ出しをすることであり、原因究明の名の下に、失敗した者を吊し上げ、責めたてることです。

これら勇気くじきを行う親や先生や会社の上司たちは、それらを「よかれ」と思って行っています。子供や部下のできていないところを指摘することで、問題の「原因」を明らかにし、その後に解決策を考える。これまで彼らが学んできた「物理学」の法則にのっとった解決法を、そのまま人間の心理学に当てはめようとしているのです。

しかし、物理学と心理学は明らかに異なります。物理学は工場でモノを作る際には正しいやり方ですが、それを人間に応用してはいけません。原因究明は、子供や部下にとってダメ出しにしか見えず、彼らは勇気を失ってしまいます。そして、勇気をくじかれた彼らは、困難に挑戦することをあきらめて、課題から逃げ出すようになってしまうのです。

勇気づけを行うのであれば、心理学的なアプローチを行わなければなりません。その場合は、原因究明に割く時間をゼロもしくはほんのわずかにして、解決法を考えることにほとんどの時間を使うこと。可能性に集中すること。それが勇気づけにつながるのです。

人の行動の95％は正しい行動である。
しかし私たちは「当たり前だから」と
それを無視してしまう。
わずか5％しかない
負の行動に着目してはいけない。

解説者の私が社会人3年目くらいの若手の頃、いつも感じていたことがあります。それは、上司はなぜできていることをほめてくれず、ほんのわずかな、できていないところばかりを注意するのだろうか、ということです。その頃、私は事業部の企画セクションで経営会議に提出する資料作成を行っていました。私が資料を作り、上司に提出。チェック修正を得てその資料が会議にかけられるのです。多くの場合、私が作成した資料は70〜80点ほどのできあがりでした。そして20〜30点の不出来の部分があり、それを直していくのです。

しかし、私が提出した資料について、一度たりとも70〜80点のできている部分をほめてもらったことはありませんでした。資料をチェックした上司は常にできていない20〜30点の問題指摘しかしないのです。私はそれが不満でした。問題指摘の前に、できている部分を認めてもらえたらどれだけやる気が増すだろう。そう思っていたのです。

多くの親や上司は、かつての私の上司のようにできていない20〜30点だけにしか着目しません。すでにできている70〜80点を無視するのです。これでは勇気くじきにしかなりません。そうではなく、できている部分に着目をするのです。それこそが勇気づけになります。ほめるところを無理に探さなくてもすでにできている部分がたくさんあるのですから。

「暗い」のではなく「優しい」のだ。
「のろま」ではなく「ていねい」なのだ。
「失敗ばかり」ではなく
「たくさんのチャレンジをしている」のだ。

88

「私は暗い性格です……」「私はのろまといつも言われています……」。そのように自分を卑下し、自分で自分の勇気をくじいている人が世の中には多くいます。また、同様に部下や子供に対して勇気をくじいている親や上司もたくさんいます。しかし、ものの見方を変えるだけで短所は長所に生まれ変わります。本人が何も変わらなくてもいい。こちら側の見方を変えれば、それだけでいいのです。

「暗い」のではなく「優しい」のです。

「のろま」なのではなく「ていねい」なのです。

「せっかち」なのではなく「素早い」のです。

「お節介」なのではなく「親切」なのです。

「鈍感」なのではなく「自分の世界を持っている」のです。

「失敗ばかり」ではなく「たくさんのチャレンジをしている」のです。

このようにものの見方を変えるだけで世界はガラリと変わります。あなたが自分や相手を否定している言葉を逆の面から見て下さい。そしてそれを言葉にして下さい。それだけで、私たちは勇気くじきから一転して勇気づけをできるようになるでしょう。勇気づけは決して難しくはないのです。

大切なことは「共感」することだ。
「共感」とは、相手の目で見、相手の耳で聞き、
相手の心で感じることである。

相手を勇気づける時に大切なのは相手に共感することです。しかし、私たちはえてして共感の意味を勘違いし、共感するつもりで「かわいそうに。大変だったでしょう……」と同情をしてしまいます。自分の感覚を相手に押しつけてしまうのです。

共感とはそもそも、相手の関心に対して関心を持つことです。しかし、同情したり押しつけたりする人は、相手の関心ではなく自分の関心に関心を持ち、自分の関心を相手の状況に当てはめてしまう。そこから失敗が始まるのです。

共感をさらに詳細に定義するならば、「相手の置かれている状況や考え方、意図、感情、関心などに関心を持つこと」と言えるでしょう。アドラーはこれを非常にわかりやすい例えで以下のように言っています。

「共感とは、相手の目で見、相手の耳で聞き、相手の心で感じること」なのです。

しかし、これは簡単なことではありません。私たちはえてして、共感しているつもりで間違った行動を取ってしまいがちです。「自分の目で見、自分の耳で聞き、自分の心で感じていること」を相手に当てはめて、相手に共感したつもりになってしまうのです。自分は相手に自分の視点を押しつけていないだろうか？　常にそう自問することで、その過ちを避けることができるようになるでしょう。

命令口調をやめて、
お願い口調や「私」を主語にして伝えると、
それだけで勇気を与えられるだろう。

90

「これ、コピー取っておいて」「メールに添付して送ってね」など。

これらの言葉は、一見すると柔らかくていねいですが、「命令口調」であることに変わりありません。なぜならば、これらの言葉は相手にとって「選択の余地がない」口調だからです。このように「命令口調」で言われた方は、「自分の立場や状況が尊重されていない」と感じます。そして、不快感と共に勇気をくじかれた、と感じるのです。

しかし、同じことを「お願い口調」に変えるだけで、それが勇気づけに変わります。「コピーを取っておいてもらえますか？」このように、相手にYES、NOの選択の余地がある問いかけにするだけで、相手は「尊重されている」と感じ、勇気づけられるのです。

また、お願い口調だけでなく、アイ・メッセージを使う方法も有効です。アイ・メッセージとは、「コピーを取ってくれると、『私は』とっても助かるなあ」のように主語が「私」である口調のこと。その逆であるユー・メッセージ『あなたは』コピーを取るべきだ」の対極にあります。ユー・メッセージが冷たく、断定的な印象を与えるのに対して、アイ・メッセージは温かい印象があり、なおかつ、相手に選択の余地を与えているため、相手は「自分の立場や状況が尊重されている」と感じるのです。お願いの仕方一つとっても、それが勇気くじきにもなれば、勇気づけにもなるのです。

「ケーキ、食べちゃったの？　ひどい！」などと
怒り、睨みつけてはいけない。
「食べたかったなぁ。残念だなぁ」と伝えるのだ。

91

楽しみにとっておいたケーキを家族に無断で食べられてしまった時、「ひどい！　なんで断りもなく勝手に食べるの?!」と相手をなじった経験がある方もいるのではないでしょうか。確かに勝手に食べてしまう家族の方に問題があるのは事実です。しかし、だからといって、相手をなじり、睨みつけることをしてもいい、というわけではありません。そういった行動の繰り返しが、相手に対する勇気くじきにつながるからです。

私たちはそんなとき、勇気づけになる伝え方に転換することができます。それは先に学んだ「アイ・メッセージで伝える」という方法です。「『あなたは』ひどい！」という言葉はユー・メッセージです。それをアイ・メッセージに転換すればいいのです。「ああ、『私は』食べたかったなぁ。『私は』残念だなぁ」。このようにアイ・メッセージにすれば、相手をなじる勇気くじきをせずに、和やかに伝えることが可能になるのです。

そもそも「怒り」は二次感情です。本来は一次感情である「さみしさ」や「悔しさ」「悲しさ」が先にあり、それが相手に理解してもらえないときに「怒り」へと変わっていくのです。そんなときは「なんで勝手に食べるんだよ！」とユー・メッセージの二次感情「怒り」で伝えるのをやめて、一次感情でアイ・メッセージを伝えればいい。「ああ、『私は』食べたかったなぁ。『私は』残念だなぁ」。それが勇気づけにつながるのです。

「まだ無理だ」と思っても、やらせてみる。
失敗しても「今度はうまくできるはず」と
声をかけることが大切なのだ。

92

親がジュースをグラスに注いでいるのを見て、子供が自分でやりたがったとしましょう。大抵の親は「まだ無理でしょ。こぼすから私が注いであげる。他のことを手伝って」と言うのではないでしょうか。それこそが勇気くじきなのです。この言葉により、子供は自分が無能であることを植え付けられるでしょう。そして、ジュースを注ぐという新しいチャレンジ、すなわち勇気をくじかれるのです。

ジュースがこぼれてもいいではありませんか。子供が自信を失う方がはるかに取り返しがつかないことだとは思いませんか？　こぼしてもいい。やらせるのです。そして、こぼれたジュースを拭き取るのです。しかし、失敗してしまった子供は失敗に直面し、新たな励ましを求めるでしょう。そんな時はこう言ってやればいい。「もう一度やってごらん。今度はきっとうまくできるよ」。これが勇気づけなのです。

家族における親や、企業組織における管理者は、自分が発する言葉が相手に自信をつけさせるのか、自信を失わせるのか、すなわち、勇気づけになるのか、勇気くじきになるのか、を常に考えておかなければなりません。失敗を避けるために発した言葉が勇気くじきになってしまうくらいならば、失敗をさせる（ジュースをこぼさせる）ことも視野に入れなければなりません。そうでなければ、勇気づけはできないでしょう。

甘やかすと相手の勇気を奪ってしまう。
手助けしたり、ちやほやしたりするのではなく、
独り立ちの練習をさせよ。

93

０歳児の頃からすでに子供はライフスタイル（＝性格）を築き始めます。もしも、子供が泣きわめく度に親が抱き上げ機嫌を取ることを繰り返せば、子供は「泣けば甘やかしてもらえる」ことを覚えるでしょう。また、自分は「ちやほやされるのが当然である」と思うでしょう。そして、周囲がちやほやしてくれない時に孤独を感じるようになるでしょう。

しかし、子供はいつまでもちやほやされ続けることはできません。自分の面倒を自分で見られるようにならなくてはなりません。それまでの間ずっと甘やかされ続けた子供は、独り立ちせざるを得ない場面に出合った時に、おそらく強い挫折を感じることでしょう。なぜならば、まだ独り立ちをする準備ができていないからです。

親が子供を信頼し、独り立ちできるという可能性を信じているならば、０歳児の頃から子供を過保護に甘やかさないよう注意しなくてはいけません。子供が泣き叫んでかんしゃくを起こしても、それに負けずに、泣きたいだけ泣かせておけばいいのです。そして、おもちゃを与え、一人遊びができるように準備させる。それこそが子供に対する勇気づけになるのです。少し泣いたからといって、すぐに抱き上げちやほやとする。それは子供の独り立ちを邪魔する勇気くじきです。勇気づけとは、子供が自分の力で困難を克服できるような活力を与えることです。決して子供の要求をなんでも聞き入れることではありません。

間違いを指摘せず、原因究明という吊し上げもせず、
「こんなやり方はどうかな?」と提案する。
それこそが、相手を育てる有効な方法である。

94

勇気くじきをしないためにも相手の間違いを指摘したくない。かといって、知らん顔をして間違いを放置するわけにもいかない。どうすればいいんだ……と悩んでいる人も多いことでしょう。そんなときは、勇気づけながら助言を与える方法が有効でしょう。

多くの場合、助言は問題指摘から始まります。「そのやり方ではダメだよ」そう伝えてから次に助言をするのです。「こうやればいいんだよ」。しかし、最初の一言は問題指摘であり勇気くじきになってしまう。であるならば、問題指摘をやめればいい。「こんなやり方はどうだろう?」といきなり助言をすればいいのです。

ソリューション・フォーカスという技法があります。それは、まさに、ソリューション(問題解決)にフォーカス(焦点)を絞ること。問題指摘や原因分析をせずに、いきなり建設的な問題解決だけを話し合うのです。たとえば、商品発送の間違いでお客様からクレームをいただいたとき。通常であれば「出荷指示の間違いが原因だ」「山田さんがミスをしたからだ」と、問題指摘や原因究明からスタートするのが常でしょう。しかし、それでは勇気くじきになってしまいます。そこで、問題指摘や原因究明のプロセスを省略するのです。「さあ、どうしたらミスがなくなるかな?」そう問いかけるのです。そして、自ら「こんなやり方はどうだろう?」と提案する。そうすれば吊し上げが勇気づけに変わるのです。

楽観的であれ。
過去を悔やむのではなく、
未来を不安視するのでもなく、
今現在の「ここ」だけを見るのだ。

95

勇気がある人は皆、悲観的ではなく楽観的です。悲観的な人は「過去」の失敗をうじうじと考え、「未来」を心配し続けます。しかし、勇気がある楽観的な人は「今現在」に集中します。過ぎてしまった過去をくよくよと考えるのをやめ、「未来」を不安視することなく、「今現在」できることだけに集中するのです。

このように、楽観的であることの大切さについて私がお話をすると、反論と質問をいただくことが多くあります。「そんなことでは失敗してしまう。きちんとリスクマネジメントをしなければならないでしょう」と。

ここで確認しておかなくてはならないことがあります。楽観的とは単なる能天気ではない、ということです。何の根拠もなく、準備もせずに能天気に対応する人は、楽観的ではなく楽天的と呼びます。楽観的とは根拠と準備のある人のことです。しかも、悲観的に検証し、悲観的に準備をし、その上で肯定的に行動すること。それを楽観的と呼ぶのです。

世界的な名著である『幸福論』で哲学者のアランはこう定義づけました。「悲観主義は気分のものであり、楽観主義は意志のものである」と。つまり、楽観主義は単なる持って生まれた性格なのではなく、意識的な努力に基づく意志である、と言ったのです。楽観主義である、という意志を持つことで、私たちは自分自身を勇気づけることができるのです。

行動に問題があるとしても
その背後にある動機や目的は
必ずや「善」である。

96

母親が用事で出かけるときに子供が「一緒に行きたい」と言いました。しかし、母親は「お姉ちゃんとお留守番をしていてね」と言いました。子供はかんしゃくを起こしておもちゃを投げつけ、食器棚のガラスが割れてしまいます。母親は子供を叱りました……。

この時の子供の行動は決してほめられるものではありません。では、この子供を勇気づけることはできないのでしょうか？　そんなことはありません。かんしゃくを起こした子供の動機や目的を考えてみましょう。この子供の動機は「母親と一緒にいたい」というものです。この動機は悪ではなく善です。行動は問題ですが、動機は善なのです。そんな時、私たちは善に着目をして相手を勇気づけることができるのです。「お母さんと一緒にいたかったんだね」と共感し、「お母さんも本当は一緒にいたいんだよ」と勇気づけることが可能です。このようにして勇気づけ、その後で、間違った行動ではなく他の方法を選択できる可能性について話し合えばいいでしょう。

これは相手が子供の場合だけに限ったことではありません。出来の悪いレポートを書いた部下の動機もまた善です。そんな時は、いきなりレポートの問題点を指摘するのではなく、善なる動機に対して勇気づけをすることができるはずです。たとえ行動が問題であっても、その動機は必ずや善なのです。

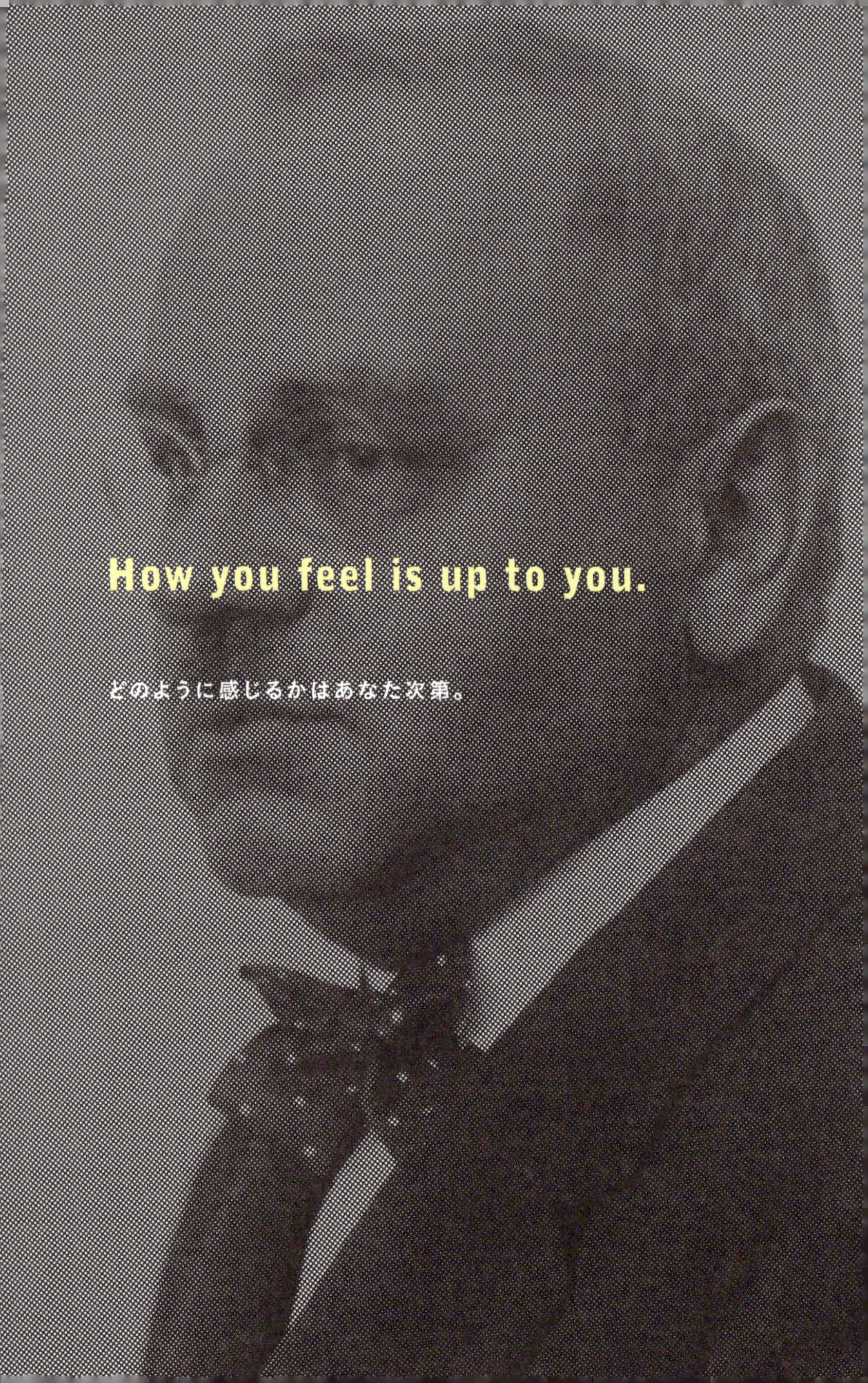
How you feel is up to you.
どのように感じるかはあなた次第。

他人の課題を背負ってはいけない

「課題の分離」に関するアドラーの言葉

あなたが悩んでいる問題は
本当に「あなたの問題」だろうか。
その問題を放置した場合に困るのは誰か、
冷静に考えてみることだ。

97

アドラー心理学では「それは誰の課題か?」という問いを大切にします。例えば、子供が勉強をしなかったとしましょう。多くの親は「もっと勉強しなさい!」と子供を叱ります。しかし、勉強をする、という課題はいったい誰の課題でしょうか?

「それは誰の課題か?」を明らかにするのは簡単です。「その問題を放置した場合、不利益を被るのは誰か?」と問えばいいのです。成績が悪化した場合、不利益を被るのは子供自身です。良い学校に入れなくなり、将来、困るのは子供です。つまり、子供が勉強をしなくてはならない、という課題はあくまでも子供の課題であり、親の課題ではないのです。

しかし、多くの親は子供の課題に土足で踏み込みます。「子供のためを思って」と言い訳をしながら「もっと勉強しなさい」「いい学校に入りなさい」と親の思う通りにコントロールしようとするのです。そして、自分の支配欲を満たしたり、自分の世間体を取り繕おうとする。子供はそれを察知して、支配されることを拒絶するのです。

あらゆる人間関係のトラブルは、他人の課題に土足で踏み込むことにより起こります。親子間に限らず、友人間、上司・部下間においても同じこと。他人の課題に土足で踏み込んではいけません。私たちができることは支援だけ。もしも子供が勉強をしたい、と言ったら、支援する準備があることだけを伝え、後はそっと見守るしかないのです。

妻の機嫌が悪いときに、夫が責任を感じてはいけない。
不機嫌でいるか上機嫌でいるかは、妻の課題。
その課題を勝手に背負うから苦しいのだ。

98

妻がふさぎこんでいるのを見て、夫が機嫌を取ろうとしています。妻を幸福にできない自分が無能であるかのように思え、自分の価値を否定された、と感じてしまうからです。「ドライブに行こうか？　それとも散歩でもしようか？」しかし、どのように提案しても妻は「出かけたくない」と拒絶します。そんな妻に夫は段々イライラします。そして、ついに怒り出しました。「こんなに気を遣ってやっているのに、なんでおまえはわからないんだ！」そして、その日一日、二人は最悪の気分で過ごすことになるのです……。

このケースの場合、夫は妻の機嫌や感情を自分の思い通りにコントロールしようとしています。まさに、妻の課題に土足で踏み込んでいる、と言えるでしょう。これでは二人の人間関係はズタズタになってしまうに違いありません。

では、妻が不機嫌であるのを見たときに、夫がイライラしても、グッとこらえて何も言わずに我慢したとしましょう。この場合、夫の問題は解決したのでしょうか。いいえ、それでもまだ、夫には問題が残ります。「相手がどのように感じるか」は「相手の課題」です。しかし、それを自分の責任であるかのように背負い込んでいる時点で、夫はまだ「課題の分離」ができていないのです。相手の課題に責任を感じてはいけません。相手の課題を勝手に背負うから苦しくなる。相手との間に線を引き、明確に分離することが必要なのです。

それが「あなたの課題」ならば、
たとえ親に反対されても従う必要はない。
自分の課題に足を踏み込ませてはいけないのだ。

99

自分の親から結婚を反対されたとしたら、あなたはどうするでしょうか？　多くの人は「親を悲しませたくない」という気持ちと「パートナーと別れたくない」という気持ちの板挟みに苦しむことでしょう。そして、イヤイヤながらも親の言いつけを守り、結婚をあきらめる人もいるでしょう。また、親を説得しようと躍起になる人もいるかもしれません。

もちろん、実際にどのような決断を下すかは本人次第。一般的な正解はありません。しかし、対人関係の基本原則である「課題の分離」に照らして考えるとすれば、以下のような対応が考えられるでしょう。

「賛成してもらえないのは、とても残念だけれども、私は自分で選んだ人と結婚します」こう宣言をすればいいのです。「そんなことをしたら親を悲しませてしまう……」とちゅうちょする人もいるでしょう。しかし、子供の結婚で親が悲しむのは「親の課題」です。あなたの課題ではありません。「親の課題」に踏み込まず、そして「自分の課題」に親を踏み込ませないこと。にっこり笑って、しかし、はっきりと「ノー」と告げるのです。

もちろん、その際に親を責めたり、攻撃してはいけません。また、親の考えをねじ伏せて、無理矢理賛成させようとしてもいけません。賛成するか、反対するか。それは親の課題だからです。あなたの課題ではないのです。

陰口を言われても、嫌われても、
あなたが気にすることはない。
「相手があなたをどう感じるか」は
相手の課題なのだから。

100

「私は私のために生きる。あなたはあなたのために生きる。私は何もあなたの期待に応えるために、この世に生きているわけじゃない。そして、あなたも私の期待に応えるために、この世にいるわけじゃない。私は私。あなたはあなた。でも、偶然が私たちを出会わせるなら、それは素敵なこと。たとえ出会えなくても、それは仕方のないこと。私は私。あなたはあなた。あなたはあなた。私は私」フレデリック・S・パールズ

「神よ、願わくは我に　変えられることを変える勇気と　変えられないことを受け入れる忍耐力と　両者の違いを理解する知恵を与えたまえ」ラインホールド・ニーバー

私たちが他人の感情や行動をコントロールすることはできません。できないことをしようとするから苦しいのです。相手の課題に踏み込まず、自分の課題に相手を踏み込ませなければいいのです。

相手があなたを評価するかどうかは相手の課題です。たとえ陰口を言われたとしても、あなたが間違っているとは限りません。自分が正しいと思うことを続ければいいのです。他者からどう思われるかを気にするから苦しくなる。課題を明確に分離すればいいのです。

「課題の分離」ができるようになったとき。それは幸福な人生への第一歩です。あなたの心は軽くなり、対人関係もぐんと改善することでしょう。人生に革命が起こる瞬間です。

あとがき

アドラーに出会う前の私は霧の中を手探りで歩き、いつも自信なく迷っていました。30歳で初めて部下を持ち課長になったものの、チームをまとめることができずに、うつ病を発症。「上司としていかにあるべきか」「人間としていかに生きるべきか」を常に模索し続けていたのです。

そんな私にとってアドラーは、闇を照らす灯りであり、トンネルの出口に見える希望の光でありました。アドラーに出会ったことで「人生は複雑ではなく極めてシンプルである」と気づくことができ、一気に視界が晴れ渡ったのです。

現在の私は、もう人のせいにすることはなくなりましたし、自分が良ければそれでいいという考え方もしなくなりました。アドラーの教えに従い、共同体感覚を高めるために貢献を少しずつ積み重ね、自分自身を勇気づけることで、長いトンネルから抜け出すことに成功したのです。

本書はあらゆる人が日常生活を送る上で役に立つ考え方、行動を示唆する本です。本書が仕事の課題、交友の課題、愛の課題のそれぞれにおいて、皆さんを照らす灯りになることを願ってやみません。

最後になりましたが、御礼を述べさせてください。

心理学者ではなく、市井のコンサルタントとして社会人生活を積んできた学びの浅い私が本書を執筆できたのは、アドラー心理カウンセリングの師であり、本書の監修を手がけてくださった有限会社ヒューマン・ギルド代表取締役の岩井俊憲先生によるお力添えのおかげです。深く感謝申しあげます。

また、本書を書くにあたり、アドラー心理学の著作を数多く執筆・翻訳されている岸見一郎先生や、アドラー心理学を日本に広めた先駆者である野田俊作先生をはじめとする、諸先輩方による書物を参考にさせていただきました。改めて、先人のご功績とご苦労に敬意を表すると共に、感謝の言葉を述べたいと思います。ありがとうございました。

小倉 広

参考文献一覧

『人はなぜ神経症になるのか』アルフレッド・アドラー著、岸見一郎訳（アルテ）
『生きる意味を求めて』アルフレッド・アドラー著、岸見一郎訳（アルテ）
『人間知の心理学』アルフレッド・アドラー著、岸見一郎訳（アルテ）
『性格の心理学』アルフレッド・アドラー著、岸見一郎訳（アルテ）
『教育困難な子どもたち』アルフレッド・アドラー著、岸見一郎訳（アルテ）
『人生の意味の心理学（上）』アルフレッド・アドラー著、岸見一郎訳（アルテ）
『人生の意味の心理学（下）』アルフレッド・アドラー著、岸見一郎訳（アルテ）
『個人心理学講義』アルフレッド・アドラー著、岸見一郎訳（アルテ）
『個人心理学の技術Ⅰ ～伝記からライフスタイルを読み解く～』アルフレッド・アドラー著、岸見一郎訳（アルテ）
『個人心理学の技術Ⅱ ～子どもたちの心理を読み解く～』アルフレッド・アドラー著、岸見一郎訳（アルテ）
『子どもの教育』アルフレッド・アドラー著、岸見一郎訳（アルテ）
『子どものライフスタイル』アルフレッド・アドラー著、岸見一郎訳（アルテ）
『性格はいかに選択されるのか』アルフレッド・アドラー著、岸見一郎訳（アルテ）
『アドラー心理学教科書 ～現代アドラー心理学の理論と技法～』野田俊作監修（ヒューマン・ギルド出版部）
『アドラー心理学の基礎』R・ドライカース著、宮野栄訳（一光社）
『現代アドラー心理学（上）』G・Jマナスター、R・Jコルシーニ著、高尾利数、前田憲一訳（春秋社）
『現代アドラー心理学（下）』G・Jマナスター、R・Jコルシーニ著、高尾利数、前田憲一訳（春秋社）
『アドラー心理学入門』岸見一郎著（KKベストセラーズ）

『アドラーに学ぶ 〜生きる勇気とは何か〜』岸見一郎著（アルテ）
『アドラーに学ぶⅡ 〜愛と結婚の諸相〜』岸見一郎著（アルテ）
『アドラー 人生を生き抜く心理学』岸見一郎著（NHK出版）
『アドラー心理学 シンプルな幸福論』岸見一郎著（KKベストセラーズ）
『子どものやる気』R・ドライカース ドン・ディンクマイヤー著、柳平彬訳（創元社）
『やる気を引き出す教師の技量』R・ドライカース パール・キャッセル著、松田荘吉訳（一光社）
『勇気づけて躾ける 〜子どもを自立させる子育ての原理と方法〜』R・ドライカース、ビッキ・ソルツ著、早川麻百合訳（一光社）
『どうすれば幸福になれるか（上）』W・Bウルフ著、前田啓子訳（一光社）
『どうすれば幸福になれるか（下）』W・Bウルフ著、仁保真佐子訳（一光社）
『感情はコントロールできる』D・ディンクメイヤー、G・Dマッケイ著、柳平彬訳（創元社）
『人はどのように愛するのか 〜愛と結婚の心理学〜』R・ドライカース著、前田憲一訳（一光社）
『ライフ・スタイル診断』バーナードシャルマン、ハロルドモサック著、前田憲一訳（一光社）
『アドラー心理学によるカウンセリング・マインドの育て方〜人はだれに心をひらくのか〜』岩井俊憲著（コスモス・ライブラリー）
『勇気づけの心理学 増補・改訂版』岩井俊憲著（金子書房）
『カウンセラーが教える「自分を勇気づける技術」』岩井俊憲著（同文館出版）
『失意の時こそ勇気を 〜心の雨の日の過ごし方〜』岩井俊憲著（コスモス・ライブラリー）
『アドラー心理学によるリーダーの人間力の育て方』岩井俊憲著（アルテ）
『嫌われる勇気』岸見一郎、古賀史健著（ダイヤモンド社）
『子どもを勇気づける教師になろう！』岩井俊憲、永藤かおる著（金子書房）

文中の表現は、アルフレッド・アドラーらの原著や執筆年代、執筆された状況を、考慮・尊重し、そのまま掲載しています。

アルフレッド・アドラー　Alfred Adler　1870-1937年
オーストリア出身の心理学者。フロイト、ユングと並ぶ巨人にもかかわらず、日本での知名度は低い。個人心理学（アドラー心理学）を創始し、『７つの習慣』のスティーブン・R・コヴィー氏や『人を動かす』のデール・カーネギー氏らに影響を与え、「自己啓発の父」とも呼べる存在である。

［解説者］　小倉広　Ogura Hiroshi
組織人事コンサルタント、アドラー派の心理カウンセラー。東洋哲学およびアドラーを中心とした心理学をバックグラウンドに「人生学」の探求および普及活動を行っている。著書に『任せる技術』（日本経済新聞出版社）『自分でやった方が早い病』（星海社新書）などがある。

アルフレッド・アドラー　人生に革命が起きる100の言葉

2014年２月27日　第１刷発行
2015年２月12日　第12刷発行

解説者――小倉広
発行所――ダイヤモンド社
〒150-8409　東京都渋谷区神宮前6-12-17
http://www.diamond.co.jp/
電話／03･5778･7234（編集）　03･5778･7240（販売）
ブックデザイン―櫻井浩（⑥Design）
校正―――鴎来堂
製作進行――ダイヤモンド・グラフィック社
印刷―――勇進印刷（本文）・加藤文明社（カバー）
製本―――ブックアート
編集担当――竹村俊介

ISBN 978-4-478-02630-4